しあわせのパン

三島有紀子

ポプラ文庫

しあわせのパン

三島有紀子

2011年12月5日　第1刷発行
2012年2月25日　第11刷発行

発行者　坂井宏先
発行所　株式会社ポプラ社
〒一六〇-八五六五　東京都新宿区大京町二二-一
電　話　〇三-三三五七-二二一二（営業）
　　　　〇三-三三五七-二三〇五（編集）
　　　　〇一二〇-六六六-五五三（お客様相談室）
ファックス　〇三-三三五九-二三五九（ご注文）
振　替　〇〇一四〇-三-一四九二七一
ホームページ　http://www.poplar.co.jp/ippan/bunko/
フォーマットデザイン　緒方修一
印刷・製本　凸版印刷株式会社

N.D.C.913/232p/15cm
ISBN978-4-591-12699-8
落丁・乱丁本は送料小社負担でお取り替えいたします。
ご面倒でも小社お客様相談室宛にご連絡ください。
受付時間は、月～金曜日、9時～17時です（ただし祝祭日は除く）。

しあわせのパン
もくじ

しあわせのパン

プロローグ

初恋の相手は、マーニだった。

小学校に上がった頃、確か六歳の頃だったと思う。家の近くに図書館があって、水色の大きな格子柄のワンピースを着て、そこに行くのが大好きだった。大きな窓から、差し込む光が館内にあふれていて、深みのある茶色の大きな本棚が整然と並び、まるで都会の中にある静かな森のようだった。本を開いたときの紙の匂い、ページをめくるかすかな音、ひんやりとした空気、人々は本の世界に入り込んでいる。そのどれもが、私を幸福な気分にした。

知っている文字、知らない文字、無数の記号が刻まれた背表紙がきちんと並んでいる森の中を、私は歩きまわりながらドキドキとしたものだ。

誰からも見えていない場所に思えて、本だけが私を包んでいる。何度も私は口元が緩んだ。

その棚は少し周囲とは違う本の並びになっていた。その中で、どの色よりも深い深いブルーの背表紙を見たとき、私は息を呑むということを初めて実感した。

その絵本が、『月とマーニ』だった。

窓辺に置かれた木の椅子に腰掛けて、ゆっくりとページを開く。

少年マーニは、自転車のかごに月を乗せて、いつも東の空から、西の空へと走っていきます。

緑色の瞳、水色の服を着たマーニの表情は、とても頭のよさそうな印象だった。

太陽を乗せた少女ソルがやってくるとマーニは少し、おやすみします。

マンダリンオレンジ色のワンピースを着た女の子が、三つの目を持つ太陽を運んでいる。マーニと一緒に休んでいる月の表情が、なんだかつらそうに見えた。

ある日、やせ細った月が言うのです。
「ねえマーニ、太陽をとって。
一緒にお空にいると、とってもまぶしくって」

「だめだよ。太陽をとったら困っちゃうよ」

「誰が？」

「僕だよ」

「どうして？」

マーニはきっぱり言いました。

「だって太陽をとったら君が、
いなくなっちゃうから」


月は、はっとした表情になった。

「そしたら、夜に道を歩く人が迷っちゃうぢゃないか」

マーニの瞳がまっすぐと月を見る。

「大切なのは
君が、照らされていて

君が、照らしているということなんだよ」

私は何度も何度もこの絵本を読み返した。

〃マーニ〃のことが、大好きで、私は、ずっと〃マーニ〃を探してた。

この図書館で夜まで待てば、この窓から月とマーニが見えるのではないか、そんな気がして私は毎日この図書館に通ったけれど、夕方五時には追い出され、一度忍び込もうとしたら、大層怒られた。図書館の外で見る月は、ただの月で、マーニも自転車も一緒じゃなかった。

そうしてるうちに、どんどん、まわりには〃好きじゃないもの〃が増えていった。この図書館でさえ、来る度ごとに黒い森のように見えて来て、唯一人の家族、父が亡くなって、大変で、大人になって働いて、いつの間にか大変で、心が一人で小さくなって、マーニはどこにもいないのだと、心に、決めた。

そうして東京で、たくさんの『大変』がたまった頃、水縞くんが、「月浦で暮らそう」と、そう言った。

さよならのクグロフ

携帯を切って真っ先に思ったのは、まさか、ということだった。
羽田空港の沖縄行きゲートの前で、すべての音が無音になり私は宙に浮いていた。迷子のようにふらふらと歩いて、トイレに入った。両腕で洗面器を抱える。気づくと私は、吐いていた。私は一体どうすればいいのだ。
ＪＡＬ９１３便十一時二十五分発の飛行機に乗るはずだった。それに間に合わなくなって次の便に変更したらそれも間に合わないのでその次の便に変更した。何度も携帯にかけたけど留守電になる。心を落ち着かせようとしてフェイスブックをのぞいてみた。あの人にメールしてみる。

大丈夫ですか？　何かありましたか？　心配です。連絡くださいませ！　香織

携帯に送った文面をフェイスブックのメールでも送ってみる。あの人の書き込みウォールをのぞく。

いま起きたよ。

書き込まれた時間は数秒前。私は、心を落ち着かせてもう一度電話をかけ直した。留守電になった。フェイスブックのウォールに書き込んだ。

今日は沖縄旅行じゃないの？

その瞬間、彼の書き込みが削除された。鳥肌が立つ。

つまり彼は、ワタシトノレンラクヲ、絶ったのだ。

トイレの鏡に映ったひどい顔をうつろな目で確認しながら、その現実が胸に込み上がって来て、もう吐くものは何もないのに吐き続けて、ただただどうしようと途方に暮れた。


八月初旬の空港のロビーは、大きな荷物を持った人々が慌ただしく行き交っている。誰もが普段よりちょっと高揚していてエネルギーに満ちている。忙しそうに出張に向かう人、別れを惜しむ人、恋人や家族とどこかへ出かける人。そんな光景の中に、海のリゾート地で映えそうなチューブトップのサマードレス、スパンコールのかごバッグ、一〇センチはありそうなウェッジソールのサンダルを履いた、彼氏も目的地も失って座っているだけの自分。

大きなスーツケースをサンダルでこつん、こつんと蹴ってみる。なんだおまえ。新品じゃん。はりきって新品じゃん。かっこわる。どっかいけ、とおもいっきり蹴ってみた。スーツケースは滑らかな床を勢いよく進んでいった。あんなにたくさん人がいるのに誰にもあたらずに、一〇メートルほど行ってゆっくりと止まった。

私はやっと重い腰をあげてスーツケースの方へ向かった。

ショッキングピンクのスーツケースの取っ手に手をかけたとき、目の前に北海道札幌・新千歳空港行きの表示が目に入った。

その瞬間、私はチケットカウンターに向かっていた。

「527便の札幌行き、まだ空いてます？」

私は、スーツケースを両手で押しながら札幌行きのゲートに勢いよく走っていった。


私が新宿の老舗デパートで働くようになって二年が経っていた。高校卒業後、東京近郊に位置する、駅前にはパチンコ屋とファーストフード店と風俗店しかない地元N駅の小さなファミレスで働いていたけど、店にやってくる人種を見て、こんな希望も出口も見えない場所で人生を浪費するのはごめんだと思った。だから、私は生まれて初めて人生の計画表を作った。イチローが、小学生時代の作文に「僕の夢は一流のプロ野球選手になることです」と書いていたという記事を読んだからだ。五年後どうなっていたいか、十年後どうなっていたいか、克明であればあるほど実現する、と天才バッターがアドバイスしてくれているように私は思った。

私は老舗デパートが経営する派遣会社に登録して、販売スタッフとして働き始めた。働きぶりが評価されて、二年後に新宿本店の、しかも紳士服売り場を担当することになった。

この〝選ばれし者〟たちが集う中で働けるなら私は何でもしようと思った。新しいケーキ店が出来たと言われれば、先輩のおやつのために貴重な休みの食事時間をけずって白金まで買いにいった。先輩たちには精一杯の賛辞を口にした。かわいがられないと先がないのだし。

一年が経って契約更新となったときの喜びといったらなかった。私の人生計画表は着々と進んでいる。そんなとき、次の希望が生まれた。

ネクタイ売り場では、色とりどりのネクタイが円形状にキレイに並べられている。この日も私は、色がグラデーションになるように同じ色ごとに少しずつずらして飾っていた。

「これ見てると気分が上がりますね」

そう言ってネクタイを買いに来たのが、岡田だった。おそらくイギリスのインポートものだろう。ブルーの色シャツに紺とグレーの幅広ストライプのネクタイをしている。岡田はデパートの広報部にやってくる大手広告代理店に勤めていて、がっしりした体つきで感じがすこぶるいい。他の男とは造作だけじゃなく、作りが違うという感じだった。

岡田は、歯を見せて微笑み、

「あ、前から」

ちらりと一瞬、ほんの一瞬だが私の〝齋藤香織〟と印字された名札を見た。

「齋藤さんにネクタイを選んでもらいたいなって思ってたんです」

岡田は今度スーツも一緒に見てほしいと言い残し、その日はネクタイを買って去っていった。一週間後また広報との打ち合わせの後、売り場にやってきて、私は岡田のためにスーツを見立てた。

岡田と、そういう関係になるのにあまり時間はかからなかった。会うのはいつも銀座のおでん屋だった。夜景を背景に出される毒々しい色のカクテルでもないのに、ふぐ酒にも嘘をつく仕掛けがたくさん詰まっているのかもしれないと私は思った。

私は父が大手電気メーカーに勤めていると話した。でも実際は大手電気メーカーの下請けのエアコン取り付け業者だった。父は、帰宅すると油と汗の染み込んだ作業着を脱いでは、爪の中に黒いものがはさまったままの指で発泡酒を開けて飲む。スーツを着たこともなければ、ネクタイを選ぶこともない。銀座でおでんを食べたこともなければ社会人になった娘にまともな言葉をかけたこともない。だからこそ、私は派遣会社に登録したのをきっかけに家を出たのだ。

父は商品企画に携わり、と言った。嘘ではない嘘ではない、父は部品の開発を常にしていると母が、と自分に言い聞かせた。

おでん屋を出ると、一流ホテルに向かうというのがいつものコースで、岡田の部屋に行ったことは一度もなかった。

「あの子らしいよ」

広報の女性社員が私を見にきたことがあった。おそらく岡田とつきあっているのはどの子なんだと見定めにきたのだろう。

「私です。岡田とつきあっているのは私です」

そう心でつぶやきながら背筋をのばし、私はお客様に笑顔を返した。私の右手の薬指には岡田がプレゼントしてくれた指輪がはまっている。めざとく指輪を見つけた先輩から「え？　もしかして結婚？」とひやかされたりすることが嬉しくて、まだまだですと言いながら右手で髪を耳にかけて何度も指輪を見せた。

「たいしてかわいくないじゃん」

そんな小さな声が突き刺さる。でも大丈夫。あの人たちは岡田のことを何も知らない。ラフテーが好きなこと。おでんの具だと、しらたきが好きなこと、赤ワインならピノ・ノワールが好きなこと。父親も広告代理店勤務で、デザインを担当した化粧品の広告がかつてカンヌで賞をとったこと。左脇に小さなほくろがあること。部屋の書棚にどんな本が並んでいるのかは知らないけれど。

岡田の部屋に行けない焦りもあったけれど、私には少しばかりの勝算があった。岡田は夏になると脇から特有の匂いを発する。微かではあるけどそれが理由で女にふられたこともあったんじゃないか、と思う。私にはそれが嫌なことではなく、むしろ好んで彼の腕枕に滑り込んで行った。

岡田は将来きっと素晴らしい仕事をしていく男だ。あの人の人生に欠かせない存在になる。私は、必死だった。

私の未来への空想は限りなく陳腐だけど、なぜか岡田との未来は克明に想像できた。だから、私は岡田との未来の駒をひとつ進めるために、沖縄旅行を提案したのだ。スケジュールは私の誕生日に合わせて、すべて自分で組んだ。チケットの手配もホテルの予約も全部すませた。手際の良さもアピールしたかったのだ。つまり岡田は約束の時間に羽田空港に現れさえすればよかった、のだ。

飛行機が新千歳空港に着いた。むんとした熱気はここにはなかった。中年女性の団体客が私の横を勢いよくすり抜けていく。

「どこかご案内しましょうか？」

相当近視なんだろう、厚底眼鏡にくりくりパーマのウッディ・アレンみたいなおばちゃんがカウンターの中で、大きな口を横に広げにんまり笑って手招きした。彼女の頭の上には〝北海道観光課窓口〟というプレートがぶら下がっていた。私は一瞬考えて、つかつかと近づいていき一気にまくしたてた。

「じゃあ、人間がほとんどいない所で、紺碧の湖がキレイで、どこまでも続く草原があって、北欧みたいな素敵な建物が並んでいて、宿の人も私をほっといてくれて、気持ちいい風だけが吹いている、そんな場所を教えてください」

これは、私が長年行きたいと憧れていたアイスランドの風景だった。厚底眼鏡のおばちゃんが私の顔をのぞき込んでそのまま考えている。あるはずないじゃん、と私は心の中でおばちゃんにつっこんだ。

私は「ということなんで」とその場から去ろうとすると、おばちゃんの声がそれを止めた。

「だったらここかね」

厚底眼鏡のおばちゃんは、ボールペンにハーハーと息を吐きかけながらさらさらと紙に何か書き、それを渡してきた。

「そこね、泊まれるから。でもほんと、ほったらかしの無愛想よ」

とへばりつくように笑ったのだった。

受け取ったメモには、震えた文字で『cafe máni』と書かれてあった。


カフェ・マーニは月浦という場所にある。空港から電車でおよそ八十分。そこからまたバスで四十分ほど移動する。流れる景色を見るでもなくバスに揺られていると、突然持っているものがひとつひとつ後ろへと流され、自分の体から離れていく感覚に陥った。岡田はどうして私がダメになったんだろう。話おもしろくない？やっぱり派遣じゃダメ？　顔がタイプじゃないから？　岡田の顔をもう見上げることもなければ岡田そっくりの子供を産むこともない。膨らんだ夢はすべて恥に変わる。背中を伝って私を包み込み、恥だけを纏って私はいま走っている。窓硝子に自分の醜い顔が浮かび上がる。職場の人間はきっといい気になっていた私を笑うだろう。

「次は～月浦、月浦でございます」

車内にアナウンスが流れた。私ははっとして降車ボタンを乱暴に押した。バスはゆっくりと坂道を上がっていき、上がりきった所で停まった。

月浦のバス停はあまり見かけたことのない不思議な停留所だった。オフホワイトにかすれた黄色のペンキで描かれたバスのマークとカタカナで小さく書かれた「ツキウラ」の文字。バスが行ってしまうと、私は置いていかれたという感覚を覚えた。このとき、一瞬の風が吹かなければきっと私はバスを追いかけていただろう。

その風に誘われて振り返り、あ、と私は息を呑んだ。そこは一面緑の草原だった。バスで上がって来たなだらかな坂を見下ろすと紺碧の湖も広がっている。

厚底眼鏡のおばちゃんの言うことは嘘ではなかった。その風景はまさにアイスランドそのものだった。

草原の中に一本の細い道がずっと続いていて、それを辿ると丘の上に、ぽつんと一軒の建物が佇んでいた。さっきよりさらに強い風がざざざっと吹いて、その風は大地をめぐり草をなでていく。その音がどんどん大きくなって、私は吸い寄せられるようにスーツケースを転がしながら、一本の小径を歩いていった。

カフェ・マーニはほとんどのものが木でできていた。木製のしっかりとした扉を開けると、珈琲の香りとパンの焼ける匂いがかすかに漂って来た。

「いらっしゃいませ」

カウンターの席の向こう側に、たぶんオーナーなのだろう、女性が立っていた。聡明そうな切れ長の目にショートカット、白い肌に乗った小さな薄い唇が「どうぞ」と動いた。

「深煎り珈琲をください」

私はメニューを見ずにそう言って奥のテーブルに腰をかけた。大きな硝子窓の向こうには紺碧の湖が見渡せる。建物には至る所に窓がしつらえてあって、部屋中に優しい光があふれていた。それがいまの私には、まぶしすぎて恥ずかしさを際立たせていた。

女主人は、手回しのミルで珈琲豆を挽きドリップを始めた。白く細い指で挟まれたネルの中で、水分を含んだ珈琲の粉がムクムクと膨らんで、まるで生き物みたいに息づいている。

香りというのは、どんなときでもすっと体に入って来てしまうものだ。私がそう思っていると女主人が顔を上げた。

「珈琲は薫りの妖精ですからね」

と口元を緩め珈琲のドリップポットを上げながらネルにお湯を注いでいった。

突然店内に小麦の焼ける香ばしい香りが広がった。

「カンパーニュが、焼けました」

と白いシャツにインディゴのジーンズ、くたっとした麻のエプロンを斜めにかけた青年が現れた。ひょろっと背の高い青年は大きなあひる口が印象的で、ちょっと照れくさそうに、鉄板の上のカンパーニュを見せた。

焼きたてのパンにナイフが入り、パリッという音が広がる。女主人が、コーヒーとカンパーニュにバターを添えて私に、そっと出した。

「どうぞ。濃い目の珈琲は、おなかにドンッと力を投げかけてくれますよ」

女主人はそう言い、自分用になのか濃い目の珈琲をドリップし始めた。

その珈琲は苦味がかなり効いていて飲んでいくうちになんとなく落ち着いていく

のを感じた。私は、はあっと大きく息を吐き机に突っ伏した。

「あの、今日から二泊したいんですけど、泊まれますか？」

「え？　あ、はい。おひとりさま、で大丈夫……」

女主人の言葉が終わらないうちに、

「ええひとり、です」

と顔を上げずに答えた。

「では、こちらにお名前、書いてもらえますか。その間にお部屋の準備してきます。水縞く－ん、お願いします」

女主人からうすいブルーのスケッチブックと万年筆を渡された。しぶしぶ受け取って開いてみると、最初の客は、昨年五月、〝トキオ〟と名前が大きく書かれてある。名前を書こうと一度ペン先を落としたが少し考えて私は、〝岡田香織〟とする書いた。


泊まり客用の部屋は二階にあってどういうわけか扉がなかった。入り口に、細い枝に通された、うすい白のリネンの布がかけてあるだけだ。案内してくれた青年は私のスーツケースを部屋の隅に置いて、

「僕は〝水縞〟といいます。パンを焼く係で珈琲をいれていたのは〝りえさん〟です。落ち着かれたら、湖の散歩も結構気持ちがいいですよ。ではごゆっくり」

と言い残して出ていった。

部屋は修道院の寄宿舎を彷彿させるような質素なものだった。白いシーツがかけられた木のベッドと簡素なクローゼットが置かれているだけ。

私はスーツケースをベッドに放り投げ、空港のセキュリティーシールをちぎって乱暴に開けた。中に入っているのは、沖縄旅行のために用意されたものばかりだ。ガイドブック。サンオイル。ビキニの水着。二泊三日なのに、六パターンのコーディネートに分けられた着替え。そしていろんな店をまわって選んだ勝負下着。私は、ブラをつまんで顔の前に掲げた。ピンクのサテンに黒いレース。店の人に人気があると勧められたけど、よく見ると趣味が悪い。しかもこのブラは誰に見られることもないのだ。私は容赦ない音を立ててスーツケースを閉めた。

「香織さーん、散歩行くなら自転車もありますからー」

階下から水縞くんの屈託ない声が聞こえて来た。

緑のトンネルのようになった小径を自転車で走りながら、私はここが沖縄ではないことを実感する。流れる木漏れ日はゆるく、自転車は涼しい風の中を突き抜けていく。

私は、風景のひとつひとつを否定するようにペダルを漕いだ。

「あ、もしもし。うん。いまビーチ。もうヤバいよ日焼け」

湖の波打ち際、わざわざ波の音が聞こえる場所を選んで電話をかけた。同じ売り場の同僚。「スピーカー」と言われる彼女に話せば、私の行動がデパート中に伝わる。私は必要以上にはしゃいでみせた。

「じゃ、お土産楽しみに待っててね。はーい」

携帯のオフボタンを押した瞬間に背中から大きなため息が出た。湖に浮かんだ一羽の白鳥が私を見ている。馬鹿にされている、と思った。首が長い生き物はどこか格調高く見えるのだ。つがいなのかもう一羽やって来て仲良さそうに水面を滑っていく。私は足下の石を握り、思いっきり空高く投げた。その石は私のすぐそばに落ちて、チャッという軽い音を立てた。

私は、どうにでもなれという気分になって、服を着たまま湖にズブズブと入っていった。二羽の白鳥が驚いて羽をばたつかせて逃げた。私は頭から水に潜って、そのままクロールでかなりの距離を泳いだ。

私は恥ずかしさを押しのけるために勢いよく扉を開けてカフェ・マーニの店内に入っていった。

案の定、店の中の空気が止まった。私の髪からはポタポタと水が滴り落ちる。カウンターには男の客がいてシナモンロールを口にくわえたまま動かなくなった。りえさんの「大丈夫ですか？」という言葉を振り払うように「大丈夫です」と答えて二階の共用のシャワールームに駆け込んだ。

シャワーの蛇口を思いきりひねってお湯を勢いよく出す。その中に頭をつっ込む。水の音しか聞こえない。こうして頭の先から足の先まですべてを洗い流すのが私は好きだった。キュキュッと音を立てて蛇口をしめると、排水溝に吸い込まれていく水の音が消えて髪から落ちる水滴の音だけが響く。シャワールームは、いつだって私の逃げ場所になった。涙が初めてこぼれた。

「あのー」

男の声が聞こえた。

私は慌てて涙を手でぬぐい、

「なんですか」

と不機嫌に答えた。

「いや、りえさんにタオル持っていってって頼まれて。なんかいま、手離せないらしいす」

ビニールカーテンを少し開けてその男をにらんだ。シナモンロールの男が立っていた。扉もないシャワールームだからって非常識な奴だと思った。

「見てないでさ。ちょうだいよタオル!」

「はい」

と男は慌ててタオルを渡し、階段を下りていった。あとで聞いたのだが、この非常識な男はトキオという名前で私と同い年だった。身長こそ一八〇センチくらいはありそうだが、いかにも田舎の青年という感じのTシャツとジーンズを纏い、顎の線が細く目が一重でねむそうなゆるんだ顔つきをしていた。

タンクトップとサロペットに着替えたら、気持ちが少しさっぱりしたので店に下りていくと、トキオがまたシナモンロールを食べていた。

「シャワーの後に、冷たいのも気持ちいいですよ」

とりえさんが私の前にアイスカフェ・オ・レを出してくれた。りえさんは、ニコとシナモンロールを籠に盛りそれも一緒にと勧めた。

「それね。ぐるぐるうずまきパンって名前です」

トキオは、口にまだパンが残っているにもかかわらず嬉しそうに説明してくる。

「天然酵母に合うカランツが入ってるんすけど。りえさんが三週間かけて天日干ししてるんですよ」

トキオはパンの中身を見せながら自慢した。カランツとは山葡萄を干したものらしい。


トキオは、ストレスがたまると休日にバイクを走らせてカフェ・マーニにやってくると言った。トキオが最初に店を訪れたとき、宿泊出来るものと思い込んでいたことが、カフェ・マーニがオーベルジュになったきっかけということだった。オーベルジュというのは、泊まることができるレストランやカフェのことだ。

常連客と席を同じくするのは居心地がいいものではない。私は蚊帳の外といった気分でカフェ・オ・レをただ、ずるずると飲み込んだ。パンは一口も食べなかった。アイスカフェ・オ・レは茶色と白が混ざってしまうと濁った泥のような色になってしまう。ストローでくるくるとかき混ぜた液体は、なぜか渦を巻いた底なし沼に見えて私は軽い目眩を覚えた。

それは、他愛もない話で終わるはずだった。岡田と恵比寿のコーヒーショップでカフェ・ラ・テを飲んでいた。彼は熱心にその店の情報誌を読んでいて、その中に、ある女性店員がおいしいコーヒーの飲み方を伝授するという記事がちらりと見えた。どうもその記事は岡田が手掛けた仕事のひとつのようだった。写真にはモデルのようにかわいい店員のはつらつとした姿が写っていて、私が、何の気なしに「広告塔って大変ですよね」と言った途端、岡田は突然声を荒らげた。

「違うよ！　彼女はちゃんとしたクリエイターだよ」

その瞬間〝すべて〟が見えた。君とは違うと。君とは違って彼女はいろんなものを持っている。そんな言葉にならない言葉が太く長い刃となって私を突き刺した。

「クリエイターだ」という言葉の反対側に、自分が位置していることも私にはわかっていた。それでも優しい彼の大きな手に私の体は感じ、舌をからませ、私は彼を受け入れていた。

少し緩んだ日差しの中を、りえさんがテラスの下に下りていくのが見えた。そこは小さな畑になっていてりえさんは緑の葉を摘み始めていた。

「バジルを摘んでいるんです」

りえさんは私に向かって、バジルの葉をかざして微笑んだ。

愛されている人だ、と思った。りえさんの穏やかな表情がそう思わせる。何より水縞くんがりえさんを見るときの目の柔らかさにすべては集約されている。

「外の窯で、いま水縞くんがトマト焼いてますから、ご覧になりますか」

私はりえさんの案内も待たずに、玄関を出て裏に回ってみた。大きな煉瓦の窯があり、そこからのびた煙突からは小さな煙が立っていた。

「がんばれ。もうちょっと、もうちょっとだ」

鉄の小窓をのぞきながら水縞くんがそう言って騒いでいる。そして「今だっ!」と言って鉄の扉を大きく開けた。窯の中から出て来たのは鉄板の上でじゅうじゅうと焼けたトマトの輪切り。水縞くんは焼けたトマトの香りを嗅いでからやっと私に気づいた。

「トマトは輪切りにして焼くと、夏野菜の中でも格別に香りを感じる野菜なんですよ。ほら」

私はトマトに鼻を近づけてみた。トマトの青臭くてあまずっぱい香り。私はこの香りが苦手だった。

「僕、もう一枚焼くので、これキッチンに持って行ってくれます?」

水縞くんは、ミトンの鍋つかみを私に渡し、さわやかにうなずいた。


夏のマーニの夕食は陽が沈む前に始まる。

「夕ごはん、できました」

水縞くんの声が聞こえて来て、私は二階から下りていった。

トキオが大きなテーブルの真ん中に座っているのが目の端で見えたが、私はそのまま壁に向いた別のテーブルに座りトキオに背を向けた。

テーブルにそれぞれの料理が並べられる。ズッキーニをビネガーとオリーブオイル、ケッパーで漬け込んだもの、白いトマトと赤いトマトの輪切りサラダにタマネギを細かく刻んだものがかけられる。夏野菜のコロコロスープは、サイコロ状に切られたオクラと黄色と赤のパプリカが浮かんだコンソメスープ。ザワークラウトが添えられた茹でた自家製ソーセージ。

りえさんがワインのボトルを持って立っている。

「今日は、特別です。月浦の葡萄で作られたワイン、飲んでみてください」

ボトルを掲げて、私のグラスにワインを注いだ。

「うれしいっす。ここでワイン飲ましてもらうの初めてっすよ」

ハイテンションのトキオをよそに私はワインを一口ぐいっと飲んだ。岡田とつきあううちに私はワインに詳しくなっていた。太く濃いめの赤だ。ほんのりと樽とハーブの香りがする。甘みよりも苦みが前面に出てタンニンの力強い味わいがある。

私は瞬く間に飲み干して、ふーと息を吐いた。

「いけますね、これ。きっとお肉にぴったりですよ」

とソーセージを口に頬張った。りえさんは、ふっと笑って、

「よかった。お好きなんですね」

と私のテーブルにボトルごと置いていった。トキオは、グラスをのぞき込んでか

らちびりと飲み、おーと感嘆の声を出して、葡萄の味だなどと喜んでいた。

「どうぞ、トマトのパンです。これもワインに合うと思いますよ」

水縞くんがトマトとバジルのフォカッチャを運んで来た。まるくて薄い生地の上に窯で焼いていたトマトを真ん中にして花が開くようにバジルが並べられている。頬張るとトマトは瑞々しいし、バジルの香りもすこぶるいい。生地はぱりっとしながら中はもちもちだった。おいしい。私はこのパンを岡田に食べさせてやりたいと思ってしまった。

「今日穫ったトマトとバジルで作ったんですよ。いやー夏ですね」

水縞くんがおおらかに笑う。

トマトなんて別に年中あるものだと思う。たべもので季節を感じることなんて鰻か西瓜か秋刀魚くらいだ。こんな場所に住むとやっぱり季節に敏感になるもんなのだろうか。ただ、私にはりえさんと水縞くんがどこか人生の勝負から降りた、つまり試合放棄した人たちのように見えた。どっちにしてもこんな生活はお金に余裕がないとできない。私には無縁なのだ。目の前のワインの酔いの方が私には確かだった。

私は飲んだ。ひたすら飲んでは食べ、食べては飲んだ。月浦ワインを追加して気がつくと三本が空になっていた。

「だって明日私の誕生日ですよ。普通ドタキャンします？　沖縄のムーンビーチ！確かに自分で予約しました。けど、彼、行くって言ったんです。絶対に行くからって。もう、同じ売り場の女の子たち皆に言っちゃいました」

カウンターの奥にりえさんと水縞くんが立っている。私は、なんでこの人たちに愚痴ってるんだろう。私は相当酔っている。

「岡田はね、ああ、岡田って言うんですけど。ぶっちゃけモテるし仕事できるんですよ。人間って、あるんですよね。レベルの違いとか。私がここの何も入ってないパンだとしたら彼は、手の込んだパン・オ・ショコラとか？　そんな感じな訳ですよ。でも、もういいです。忘れます。さよならー」

そう言ってまた、グラスの残りのワインを飲んでしまった。

「あ、ここのパンちょっと味薄くないっすか？　もっとバターとかわーっと入れちゃうとか、ねえ？　それがいい」

「俺は、ここのパン好きですけどね」

突然聞こえたのは、妙に落ち着いたトキオの声だった。私はなんだ田舎者が、と思った。

「ちょっと君さ、あのさ、君はずーっと北海道なんだよね？」

「そうっすけど」

「じゃ、毎日静かで平和だっ」

「平和？」

こいつ少し怒ってる。あんたは何も知らない。平和で静かなこの場所の他にもっといろんな世界があることを。

「そりゃ平和でしょ。東京と違うもん。あのね、東京で働くのって大変なんだよ。みんな、気はりつめちゃってるし。無理して笑ってるし。ほら、こうやって笑顔はりつけて。ハハ。厳しいよ、マジで」

「でも、好きで、いるんすよね」

私は鼻で笑った。

「別に。生まれてからずっと東京の近くだもん。だって違うから。ここは生活が全然」

この男はわかっていない。瞬間瞬間、いつも自分が試されている環境というものがどれだけ大変か。一瞬でも、こいつ使えねーと思われたら終わりだ。それが故郷でなければいつでも離れられる。でも私には、東京以外を選択するという発想はない。東京近郊に生まれた人間はみんなそうだろう。親元だからと言って東京は、けっして人を守ってくれない。

「そういうの、めぐまれてる、って言うんじゃないすか」

トキオが、無表情に立ち上がって階段を上がっていった。

「トキオくん」

水縞くんが声をかけたけれど、トキオは一度も振り向かなかった。


月浦の夏の夜は、カエルの合唱が一斉に響きわたるそうだ。湖は、すっかり暗い蒼になって酔っている体には、湖から吹く夜風が気持ちよかった。何の歌かわからない鼻歌が自然と口から出てくる。

「♪チャチャーン、チャチャチャチャーン、チヤラランチャラランチャララーン。ふんっ、どいつもこいつもっ」

静かな月浦で、きっとカフェの中のりえさんや水縞くんそしてトキオにも聞こえているだろう。鼻歌の声量は一気に上がって私は足下がふらついてきた。

「沖縄なんか一人で行ってられっか！　ここは真逆の北海道だ。バカヤロー」

そう湖に向かって叫んだ瞬間足が草にからまって、目の前の景色が一気に流れた。気がついたら湿った草の葉が頬にぺったりとくっついていた。

カエルの鳴き声だけが聞こえてくる。結構痛いな。ごろんと仰向けになる。目にたまった涙がするりと耳にこぼれてきた。唇を嚙みしめて、片手で涙をぬぐう。ダメじゃん、私。


私は足をジタバタさせた。

「う――――」

腹の底から声が出た。私は唸り、ジタバタした。そして唸りながらジタバタしながらゴロゴロと転がった。広い草原はどこまでも転がることが出来る。私を邪魔するものは何もないのだ。

「わあ――――――――」

私は湖に向かってどこまでも転がっていった。

そのとき、突然笑い声が聞こえた気がして、私は体を起こした。誰に見られたんだ。恥ずかしくて体温が一気に上がった。カフェの二階の窓から大笑いしているトキオが見えた。口を大きく開けてここぞとばかりに笑っている。

「バッカヤロ――――」

私は履いていたビーチサンダルを手に取ってトキオめがけて思いっきり投げてやった。

もう呑みません。

呑んだ次の日に、何度この誓いを立てたことか。酔った日の次の朝は〝後悔〟の文字しか浮かばない。頭痛がして、油断すると吐きそうなのを我慢して、壁にもたれかかりながら、ずるずると階段を下りていった。カフェのカウンターへ向かう自分の姿は、誰が見ても二日酔いだ。水縞くんが、カウンターの奥でパン生地をこねながら、にこにこと「おはようございます」と言った。

言葉にならない、おはようございます、を言って私はそのままカウンターの椅子によじ登るようにして座った。

りえさんが水のなみなみと入ったコップを二杯、私の前に置いた。

「まずはこれ、全部飲んでください。そのあと、とびっきりの深煎り珈琲いれますから」

私が一息に水を飲み干すと、りえさんはブレッドボードにスライスしたライ麦パンと、塗りやすいようにとやわらかくなったバターを添えて珈琲を出してくれた。

「素朴なパンも、いいですよ」

りえさんは、私の目を見てうなずいた。〝素朴なパン〟を見つめながら私は珈琲をずるずるっと飲んだ。体の隅々に沁み渡る。

「私、三年前まで東京にいたんです」

りえさんは手を動かしながら独り言のように言った。

ライ麦パンに木のへらでバターを付けるとするっとのびた。齧ってみる。小麦粉とライ麦の味、そこにじわっとバターの味が広がって行く。素材の味。気づいたら五枚も食べていた。


このお店にも常連さんと言われるお客がいるようだった。この二人がまたなんとも奇妙な二人だった。

「郵便です」そう言いながら入って来たのは、チェックの制服を着たビートルズのようなマッシュルームカットの男。郵便物をりえさんに渡し、男はなぜだか嬉しそうにうなずきながら「り、りえさん、……今日もキ、キレイです」と言って頬を赤らめた。

するとすぐに別の男が入って来た。やあ、と山高帽を掲げた初老の男は墨色のTシャツにジャケットとパンツという出で立ちで、手には大きな革のトランクを提げていた。〝阿部さん〟だと水縞くんが紹介した。

二人はすぐに店の一番奥の窓の前に座った。


「あそこは朝だけ二人の特等席です」

とりえさんは笑って説明してくれた。郵便屋と阿部さんは店の棚に置いてある絵本をぱらっぱらっとめくりながら珈琲を飲んでいる。郵便屋は仕事の途中であることは関係ないようで全然時間を気にしていないように見える。よく考えるとこの店には時計がなかった。


羊が外で一声、メェェと鳴いた。ゾーヴァという名前でこのカフェで飼っているらしい。坂道の下から、レトロな小ぶりのバスが上がって来た。

「いってらっしゃい」

りえさんと水縞くんが見送る中、阿部さんは山高帽を頭上に掲げて、革の大きなトランクを提げて、出て行った。

阿部さんがバスに手を振ると、郵便屋も「僕も行かなきゃ」と言って、立ち上がった。水縞くんが郵便物を渡すと、郵便屋は、はい、と両手で受け取ってそのままバイクで来た道を走って行った。

私は阿部さんが何をしている人なのか、りえさんに尋ねてみたけれど、

「さあ、私も知らないんです」

と言って珈琲カップをかたづけ始めた。


羊の鳴き声といい牛の鳴き声といい、どうしてこう緊張感がないのだろうと思う。青空のもと、牛ののんびりした声が響く中、りえさんと水縞くんに誘われ、私は月浦のマルシェに向かっていた。

後ろの方から「なんで、俺もなんすか」と、大きなマルシェバッグをぶらぶら揺らしながら歩いてくるトキオの姿が牛とだぶって見えた。こいつは絶対女にモテないだろう。

「荷物持ちだよ」

水縞くんが笑うと、りえさんもくすくすと笑った。トキオが、ますます牛のよう

にふてぶてしく眠そうにため息をついた。

月浦には、週に一度畑の脇にマルシェが出る。赤や緑のパラソル、幌馬車がずらっと並びいろんな果物や野菜が売られている。他にはラズベリーやブルーベリーのジャム、しぼりたて牛乳や苺のアイスクリーム、ラベンダーや菜の花の石鹸、アカシアの生蜂蜜……手作りのものもたくさん売られていた。中にランタンがぶらさがった大きな白い幌馬車を改造した店があって、りえさんたちの知り合いの店だった。広川さんといって近くの農家だと言う。

色白で小さな男の人と恰幅のいい女の人が、じゃが芋を顔の横に持ってポーズを決めながら「いらっしゃーい」と迎えてくれた。奥さんは、花柄のワンピースに頭には花柄のスカーフを巻いて、四人の子供を背負っていた。その姿は、私が以前アンデスのおみやげでもらった福の神《エケコ人形》のようだった。広川さんがサスペンダーをぱちんとならしながら紫色のズッキーニを並べていた。

「野菜のことならなんでも聞いて。この橙色のトマトはピッコラカナリア。楕円形の真っ赤なトマトはサンマルツァーノ。これでパスタ作ると最高だよ」

「名前なんかどうでもいいわよねーおいしけりゃそれで」

奥さんは、ぱくっと自分の口にピッコラカナリアを放り込み、おいしそうに口をすぼめた。

ここでは、ヨーロッパの野菜もよく育つのだそうだ。

「だからね、ここの食材を使った料理にはパンが合うんですよ」

水縞くんは鼻の穴を少々膨らませて言った。

「これ、おいしいですよ」

りえさんがぷっくらした瑞々しいブルーベリーを籠ごと私に勧めた。そのひんやりとしたひと粒を、指でつまんでゆっくり口に持っていくと、口の中でブルーベリーの甘酸っぱい水分がはじけた。

「おいしー」

声が二オクターブほど高くなる。りえさんも一粒手に取ってかじる。おいし、とりえさんの優しそうな唇が動いた。私たちは、それが広川さんの売り物だということも忘れて、ひと粒、またひと粒とブルーベリーを頰張った。それでも夕ごはん用にたくさんの野菜や果物を買い込んだので広川さんはとても満足そうだった。

月浦にある、長芋の畑は、夏にはつるが二メートル近く上にのびて一面緑の壁ができる。その緑の壁はどこまでも続いていて、風にもこもこと揺れている様は、まるで緑の大きなお化けが踊っているようにも見えた。なんだか私にはそれがおもしろくて、長芋のつるを手で触りながら歩いていた。

「あのー、今日誕生日なんすよね」

後ろから、野菜をたくさん詰め込んだマルシェバッグを抱えたトキオが話しかけて来た。

「そうですけど」

「あ、これ。どうぞ」

俯いたトキオが向日葵を差し出した。向日葵が行き場をなくしてしおれているように見え、私は奪うように向日葵を受け取って、何層にも重なった黄色い花びらを、するすると中指でなぞってみた。指に花の水分が感じられる。それは生きている証明だった。太陽のようにエネルギーのある花。私は向日葵を空にかざしたまま言葉を投げた。

「トキオくんだっけ?」

トキオは瞬発的に、はいっ、と答えた。

「暇なんだったらさ、つきあってよ」

羊のゾーヴァが、草をむしゃむしゃと食べている。そして、空に向かって大きく伸びをしたあと、ぶるぶると頭をふってどこかへふらりと行ってしまった。きっと適当に散歩して、ゾーヴァと描かれた小屋に戻って来るのだろう。カフェの前の草原に風に吹かれている向日葵が見える。ああ、草の上というのは、砂の上と違って水分が多く肌にしっくりくる感覚がある。私はトキオと並んで一面の草むらに寝転がっていた。

「なにやってんすか？　これ」

ジーンズを膝まであげて足ひれをつけ、潜水用のゴーグルをしているトキオが空を見上げて素朴な疑問を投げた。私は、完全沖縄スタイルである。ビキニの水着姿にサングラスを頭にひっかけている。

「だって私、沖縄行ってることになってるじゃん。ちょっとは日焼けしとかなきゃ」

トキオは、はあ、とあきれて、そのまま動かなくなった。太陽の光は私たちに届いているものの、それほど日差しが強い訳ではない。私はトキオからもらった向日葵を手に取った。

「この花さぁー、あんたが選んだの？」

　トキオは何も答えない。

「聞いてる？」

「はい、正直言うと水縞くんっす。俺は、青い花がよかったんですけど、食べたら毒があるからって」

　毒入りの花の方が見たかったなと思っていると、

「水縞くんがね、言うんですよ。キレイだねぇお花って、って。でも、太陽に当てすぎてもダメだし、太陽がなくてもダメなんだよね、って。花って育てるのむずかしいらしいんすね」

　私なんて買ったりもらった花をいつも枯らしてしまう。大体私は自分自身さえきちんと花を咲かせることができないで持て余している。

「俺、思わず聞いちゃって」

「何を？」

「ずっと聞けなかったことですけど。りえさんがよく付いて来てくれましたねって」

「そしたらなんだって？」

「僕にもわからないって。でもね、違う場所に身を置くって必要なときあるよねって言うんです。何が自分にとって一番大切なことなのか、見えなくなることってあるからね……って」

「ふーん」

気のない返事をしながら、サングラスをかけた。私にとって、一番大切なことは明確なはずだった。りえさんは東京にいられないほどの何かがあったのかもしれない、もしかしたら水縞くんではないとても好きだった男を何かの理由で突然失ったのではないか。そんなことを考えていたらいつの間にか、うとうとと眠ってしまった。


「うっ」といううめき声とともに目が覚めた。

トキオのおなかの上にスカーフで包まれた荷物が載っている。

「しあわせ、いりませんかぁ」

声が聞こえて、見上げると頭に長いスカーフを巻いた女の人が笑っている。

「私ね、地獄耳の陽子っての。耳だけはいいのよ昔から。あんたに、これあげるわ」

と私の隣にしゃがんで、荷物を指差した。

トキオがおなかから包みをとって私に渡した。どうやら彼女――陽子さんのことは以前から知っているみたいだ。私は開けてみた。ごろっという音とともに優しい顔をしたおじいちゃんの木彫りの人形が転げ落ちた。七体もある。

「なんですかこれ」

と人形に目を近づけている私にトキオが《コロポックル》だと説明した。陽子さんは口をとがらせて、

「コロポックルって、昔ここらに住んでた妖精で、収穫したものをみんなにプレゼントするのよ。それもいろんなお家に夜、窓からそっと黙って置いて来るって。いいでしょ。だから、その人形、持ってると小さな幸せがくるらしいよ」

そう言うと陽子さんはニタっと笑って草むらを去って行った。

もう一度人形を見る。手を後ろに組んで寝ているのか微笑んでいるのかわからない穏やかな表情をしているおじいちゃんのひげは、サンタクロースのように長かった。

「ていうか、私、大きな幸せがほしいもん」

トキオは「欲張りっすねぇ」と言いながらまた横になってすやすやと眠り始めた。

私たちがようやく長い昼寝から目覚めたとき、まだ月浦の陽は暮れていなかった。りえさんはブリキのたらいにたっぷりの水を汲んでテラスに持って出ていた。そしてマルシェで買って来た夏野菜を全部放り込んでは土を落としていった。ラディッシュが、ズッキーニが、赤いパプリカが、水の中でキラキラと輝いている。りえさんは水の音だけをさせて、野菜の色がキレイになるまで洗っていた。

キッチンでは、厚くて大きいパンのレシピ本が開かれていた。水縞くんは、普段作らないものに挑戦しているようだった。ちいさな硝子の小皿に入ったレーズン、オレンジピール、ドライクランベリーが整然と並んでいた。水縞くんはパン生地を大きくのばし、その上に、三つのドライフルーツをキレイに載せ、くるくると巻いていった。どんなパンができるのか、私はいつの間にかわくわくしていた。

月浦の夕焼けは神憑《かみがか》っているほどのまぶしさだった。一瞬激しい光が空に立ち上ったかと思うと一気に幕を引いたように闇を迎える。今日の夕食は昨日より遅いのかなと思いながら二階から下りてきたものの、カフェには誰もいない。あまりに静かで、草原と湖がかすかに見えるだけだから、私は世界中に誰もいなくなってしまったのではないか、とそんな想いに駆られてしまう。

風が吹いてテラスに続く扉が開いているのが見えた。外に出てみるとテラスに大きな木のテーブルが置いてある。その瞬間、happy birthday の歌が聞こえて来た。

暗闇の草原に三つの小さな灯が灯っている。

水縞くんが蜜蠟のロウソクを一本立てたケーキらしきものを、りえさんとトキオも蜜蠟のロウソクをそれぞれ持って、その三つの光が歌にのせてゆっくりと静かに近づいて来る。

「happy birthday dear 香織さん　happy birthday to you」

歌い終えたとき、三人はテラスに到達した。

「お誕生日おめでとうございます」

そう言われて私は思わず両手で唇を押さえてしまった。

りえさんとトキオがテーブルにロウソクを置いた瞬間、並べられた料理が煌煌と照らし出された。テーブルの上には、月浦ワインの赤、魚の形をした木の長いプレートには赤や黄色のパプリカのファルシ（肉詰め）が交互に並び、丸い木のプレートには紫タマネギの丸ごとオーブン焼き、硝子のボウルにはラディッシュとやわらかレタスのサラダ、さざ波のように盛られた豚肉の薫製、ブルーベリーの食パン、バゲットの中につぶつぶコーンが入ったコーンのパン、そしてカンパーニュとテーブルいっぱいに料理が並べられていた。

水縞くんが、お願いします、と一本のロウソクを差し出した。私はロウソクの火を一気に吹き消し、三人が一斉に拍手をした。私はあまりに嬉しくて何度もお礼を言ったけど、声が震えてしまってきちんと言葉にならなかった。

「これクグロフって言うんです」

と水縞くんは照れくさそうに指差した。

「お祝い事があるときに作る少し特別なパンなんですけど。普段作らないから、ちょっと形がくずれました」

分厚い本を広げて彼が作っていたパンはこれだったのだ。

クグロフは、真ん中が空洞になったやわらかそうな大きなパンで、斜めにうねった蛇の目模様が入っていた。フランスのアルザス地方のパンらしく、かわいい帽子の形にも見える。作り方はパネットーネに似ていて発酵にとても時間をかけるパンだ、と水縞くんは説明した。

りえさんとトキオがテラスのあちこちに飾られたランタンに、ひとつひとつ灯を灯した。あたりがほんわりと明るくなって、赤ワインが注がれた。

「香織さんの誕生に、乾杯」

そうしてみんなでグラスを掲げた。


暗闇の中に浮かぶいくつものランタンの光はどうしてこうも私の気持ちを惹き付けるのだろう。灯された灯は微かに揺れながら、柔らかくりえさんや水縞くんやトキオの顔を照らしている。

パプリカの噛み応えと肉のうまみ、タマネギのとろっとした甘さ、ブルーベリーのパンの香り、コーンパンのコーンがつぶれる瞬間の食感がいい。私は改めてパンの味が、砂糖とバターの味ではないのだと思った。

りえさんが、テラスの下に生えた紫アスパラガスを摘んでさっと茹で、オリーブオイルにレモンをかけて出してくれた。それに塩をパラパラとかけるとほんとにおいしい。しっかりしたアスパラガスは瑞々しくて、太陽の力を存分に吸った感じがした。

りえさんは、なすとズッキーニがおいしそうだからと今度はラザニアを作ると言って材料をテラスに持って来た。もうおなかがいっぱいだと言うトキオに対して、するする食べられるから大丈夫と作り始めた。みじん切りにしたタマネギをにんにくとオリーブオイルで炒める。そこに挽肉を入れてトマトをすりつぶし塩胡椒やコンソメで味付けする。そこにローリエを乗せて少し煮込むとミートソースの出来上がりだ。これだけでもパンにつけて食べたい。それから、なすとズッキーニをオリーブオイルでグリルし、大きめの鍋に出来たてミートソースをたっぷり敷いて、その上に平たいパスタのラザニアを載せ、ズッキーニとまたミートソースを垂らしていく。しぼりたて牛乳で作られたベシャメルソースを足し、またラザニアを載せて今度はなすとミートソースを重ねる。それを器いっぱいまで繰り返し、最後にパン粉とパルメザンチーズをたっぷりかけ、摘み立てのバジルの葉を全体に散らした。待ちきれない様子の水縞くんはりえさんに、いいですか、と確認をとって鍋をカフェ裏の窯に入れた。二十分後、チーズがとろとろに溶けた〝なすとズッキーニのしゃきしゃきラザニア〟が完成した。

チーズとミートソースに加えてズッキーニのしゃきしゃきとした歯ごたえ、ベシャメルの甘み、トマトの酸味にオリーブオイルを吸ったなすのくたっとした絶妙な食感。水分を豊富に含んだラザニアは、りえさんの言う通りいくらでも食べることが出来た。

誰もが目の前の食べ物の話を続けている。

〝季節のごほうび〟だと私は思った。育った野菜を目の前で摘み料理するりえさんの姿を見て、季節を頂いているのだと実感する。苦味甘味渋味旨味。ここにいる全員が、今夜は笑ってごほうびを受け取っているんだ。


ラザニアがなくなった頃（ほとんどトキオが食べたのだが）、水縞くんが大きなコーンのパンをとった。そして、それを二つに分けて、ひとつを、りえさんに渡した。りえさんは、静かに受け取って小さくありがとう、と言った。二人は、それぞれパンを食べ始め、言葉にならない「おいしいね」を目で交わしあっているように見えた。

コウイウコトナノダ。

私が、ほしかったのは。

羽田空港で、いくら待っても全然来なかったあいつ。携帯に連絡しても留守電だったあいつ。でもほんとは最初からわかっていた。相手になんかされてない。何も分かち合ってなんかない。

これ、おいしいよ、食べてみる？　ってひとつのものをシェアしあったり、おいしいねって言いあったり、この店まずいね、って一緒に文句を言ったり、そんなことさえ一度もなかった。職場でもそうだ。なんとなくみんなに合わせているけど、相手にされない自分が嫌いでしょうがなかった。

でもわかった。それは全部、自分が何をほしいか、何が好きか、わかっていなかったからなのだ。そんなことにいまさら気がついたなんてと思っていると、心が締め付けられた。

涙がこぼれる前に言いたかった。この二人がいてくれて、マーニがあって、ほんとによかった。沖縄の真逆というだけで北海道に来て、たまたま月浦に来て、いままで全然知らなかったこの人たちが、いま、自分の誕生日を、自分が生きていることを、生まれて来たことを共に祝ってくれている。

「ほんとに、ありがとうございます」

りえさんは私を優しく見つめて、

「クグロフ、食べましょうか」

と、クグロフをナイフで半分に切った。そしてその半分をお皿に載せてトキオに渡した。

トキオは、大事なものを託されたように、両手をジーンズで拭いてから受け取った。そして、それを手でふたつに分けて、ひとつを私に差し出した。なんだかとても照れくさかったけど、私は、ありがと、と言って受け取った。初めて食べたクグロフは、ふわふわと柔らかくて、確かにほんのりと甘い特別なパンの味だった。

夏の夜の青草はひんやりと冷たくて気持ちがいい。私は裸足で草の上を歩くのが好きになった。カフェの裏には、なだらかな丘がずっと続いていて、私はそこを上がりながら頂上を目指した。

マーニの屋根が夜露に濡れているのが見える。頂上に立った一本の木の下で風に吹かれているとトキオが丘を上がって来た。私は、荒い息を吐きながら上がってくるトキオに叫んだ。

「かっこわるい奴って思ったでしょ、私のこと」

トキオは聞こえないフリをして黙々と上がってきた。そして「……そうすね」と言った。

「でも」

いつも緩んだトキオの顔の筋肉にぎゅっと力が入っているのが見える。その真剣な横顔が、私を追い越して立ち止まった。

「かっこわるい自分を知ってる人が、大人だと俺は思います」

不意の言葉に、ハッとした。この人は自分の言葉を持っている。トキオは、人生のどこかの段階でとことん自分のダメさを考えた人間なのだと私は思った。トキオはその場に腰を下ろしてあぐらを組む。

「だから、香織さん見たときすっごい笑えたんです」

「笑えた?」

「一生懸命、幸せになろうとしてるんだなって」

私は恥ずかしさでトキオを見ていられなかった。

「もがいたことのある人間じゃないと、幸せはないと思うんです。もがいてもがいて恥かいて。いいじゃないっすか、香織さん」

久しぶりに肯定されて言いようもなく嬉しいと感じている自分が、意外に思えた。岡田とつきあううちにいつの間にか、否定されることこそが向上だと思い込んでいた。

「俺、毎日毎日電車のポイント切り替えてんです。ポイント、わかります? 方向転換するためにレール切り替えるやつ。電車は簡単に切り替わるのに、俺の人生は簡単に切り替わんないんだなって。線路が、ずっと続いてるように見えても、自分は北海道から出られないんすよ」

トキオが仕事をしている姿を想像してみる。

陽炎の奥に、どこまでも続く線路が見えて、トキオはいつもくたくたになった汗臭い制服を着て、線路脇に立っている。手動のてこをひくと、レールのポイントが大きな音をたてて切り替わる。遮断機の音が響き渡り、やってきた電車はすんなり方向転換して、勢いよく走り去っていく。何度も何度もそうやって、トキオはいくつもの電車を見送ってきたんだろう。気楽に仕事をこなし、休日に大自然の中でバイクを走らせ、カフェ・マーニで美味しいものを食べて、ただ彼女のことやバイクのことだけ考えて、鈍感に人生を楽しんでいるのではなかったのだ。

「なんか、俺、もがけないんす」

その言葉を聞いて、私は、大声で笑った。

トキオはいきなり笑われて、きょとんとした目で私を見ている。私は、立ち上がってさらに笑った。

全くわかっていない。誰も彼も自分のことは見えていないのだ。

そう思うと、トキオが愛おしく思えて来た。この人の名前はフルネームでなんていうんだっけ？　ラザニアが好物だっけ？　バイクの色はグレイだっけ？　そして、なんで今日はこんなに三日月がキレイなんだっけ？　このとき、目に見える光景が異様なまでに鮮やかで、細部にわたってくっきりと見えるのを感じた。笑いすぎて、息が苦しくなった私は大きく深呼吸して、むくれて行こうとするトキオの背中に向かってこう言った。

「あのさ、それってさ……思いっきりもがいてんじゃん」

トキオは、立ち止まった。私は笑いながら続ける。

「そうだよ。ほんとだ。もがいてる人間を見たら笑える。あんたが正しい。そうだよ。トキオくんの言う通りだ。それに、きっともがいてる人間にしか、幸せはないんだよ」

私は、トキオに言われた言葉をそのまま返す。トキオは振り返り、照れくさそうに口が緩むのを抑えようとしていた。

「来てみればいいじゃん。東京に。一緒に行こ」

私の軽い一言にトキオは驚いている。

「無理っすよ、仕事ないし」

「そうかな」

「そうっすよ」

「そうかな」

トキオは語気を荒らげた。

「そうすよ」

そう言ってすたすたと歩いていくトキオをしばらく見送っていると、突然その姿が見えなくなった。追いかけると、トキオが地面に突っ伏して倒れていた。そばに切り株の根っこが出ていて足が引っかかったのだ。トキオは痛そうに唸っていたけれど、やがて観念したように仰向けになった。私はトキオの顔をのぞき込んだ。トキオは私の顔をしばらく見てそれから夜空に目線をやった。

「でも俺、今日は月がキレイに見える」

私もこの夜まで一度も気づかなかった。月浦の三日月がこんなに光を放って輝いていることを。


朝の光に包まれたカフェを、階段を下りながら見渡してみた。パンの焼ける匂い、珈琲豆を挽く香り、私が来たときとこのカフェは何も変わらない。水縞くんが焼けたパンを運んでくる。りえさんが豆を挽いている。

「おはようございます」

と二人がさわやかに迎えてくれた。


クロワッサンと温かいカフェ・オ・レ、いんげんをオリーブオイルで和えたもの、黒胡椒のかかったスクランブルエッグの朝食を食べた。焼きたてのクロワッサンは、ちぎると何層にもなった生地からふわっと湯気が出た。バターを抑えた味が飽きがこないのだと今ならわかる。


私は、水縞くんが焼いたパンを一心に見ていた。カンパーニュ、クロワッサン、山型パン、ライ麦パン、コーンのパン、グリッシーニ。一昨日この店に来た時と同じパンたち。

「素朴なパンも、いいですね」

私はふっと笑って、ライ麦パンとカンパーニュをたくさん木のトレーに載せていった。

りえさんが笑顔で、はい、とうなずいた。

「今日はライ麦パンがまたうまく焼けましたからね」

自慢げに答える水縞くんに私はトレーを渡した。

水縞くんが驚いている。パンが八個も乗っている。

「職場のみんなに、食べてもらおうと思って。月浦の、おみやげです」

もう嘘はつかなくていいと、私は決めていた。

「それから私、素朴なパンには、バターよりジャムの方がいいです」

りえさんがにっこりと笑った。

「わかりました。じゃあ次は季節の果物のジャムと一緒にお出しします」

奥のテーブルにトキオがいないのを確認して、私は軽く聞いた。

「トキオくんは？」

「トキオくんね、今朝早く出て行ったんですよ」

私は耳を疑った。私に何も言わずに？

「急に帰るって言って」

昨日、簡単に東京来ればいいじゃんなんて言ってしまって、怒ったのかもしれない。そりゃそうだ。私は何を期待していたんだろう。

「私、行きます。ありがとうございました。りえさん、私、今までで一番好きな誕生日でした」

りえさんは、私の目をしっかりと見て、

「これから、もっといい誕生日が来ますよ」

と、パンのたくさん入った紙袋を渡してくれた。水縞くんは柔和に微笑んで、あひるのような大きな口を開けて言った。

「また、来てください。いつでも、うちは、ここにありますから」

「あの、トキオくんに……いろいろつきあってくれてありがとうって、伝えてもらえますか」

りえさんは、ただ、わかりました、と言ってくれた。

「それから、私、岡田香織じゃありません。齋藤です。齋藤香織なんです。書き直しておいて……ください」

私はそのまま足を踏み出しスーツケースを引っ張りながら、草原の小径をまっすぐに歩いて行った。


バス停のベンチからは湖がずいぶん大きく見えた。広い水面に雲間から差し込む光芒が反射している。ただ、キラキラと輝いている。バカにしているようで、祝福しているようで、祈ってくれているようで。

やがて遠くからエンジンの音が響いて来た。私はゆっくりと立ち上がった。帰ろう。スーツケースを手にしたそのとき、何か違う音が聞こえた気がした。近づいてくるバス……の後ろからけたたましい音を立てたバイクがバスを追い越してきた。トキオのバイクだった。バイクは私の前で勢いよく停まった。

「送るよ」

私は思わず笑ってしまった。

「乗って」

トキオがヘルメットを放り投げてくる。反射的に受け取ったとき、私はなんだか嬉しくてしょうがなかった。トキオのバイクの後ろにまたがる。こいつ、こんなに背中大きかったっけ？　そんなことを思っているとバイクは突如、発車した。

カフェ・マーニのテラスからりえさんと水縞くんが手を振っている。トキオが来ることを知っていたんだと思って笑えた。ゾーヴァが私のあげた、ビキニを着けている。りえさんがそれを見つけて大笑いしているのが見えた。

二十四年間しか生きていない私が言うのも可笑しいけれど、若いってこういうことかもしれない。流れる木々も、バイクの音も、ぼさぼさになるかもしれない髪がこの風に吹かれているのも、すべてが気持ちいい。この長い道がずっとずっとずっと、続けばいいと思う。この瞬間は絶対にやがて消えて行く。だからいま、感じておかないと。山と下と時を生きると書いて山下時生。なんでもないただの四つの漢字の組み合わせ。この組み合わせがどれだけ愛しく感じられることか。バッグの中では、陽子さんからもらったコロポックルが微笑みながら揺れている。

「……まで送ります」

バイクの音で、トキオの言葉がかき消されている。

「え――なに？」

「送りますっ。東京まで」

私は軽快に笑い、そして肩に置いていた手をトキオの腰にまわす。

「じゃ、よろしく頼むわ、トキオくん」

「まかせてくださいっ」

トキオは快活な声で答えた。

バイクのスピードが一気に上がった。私は、すべてを投げ捨てても、どこまでも行けるような気がした。

ふたりぼっちのポタージュ

先生が、好きなものと嫌いなものをひとつずつ書きなさい、と言った。

そして好きな理由嫌いな理由をそれぞれ文章にまとめるというのがその日の課題だった。

好きなものも嫌いなものも同じひとつのものだったし、その理由もはっきりとしていた。だから全然書く気にもなれず未久《みく》の原稿用紙はいつまで経っても白紙のままで放っておかれた。

四年二組の担任は池田先生といって見るからに品のいい女性で、正しい行動がとれる人間になりましょうというのが口癖だった。未久にはその〝正しい〟という意味こそがよくわからないのに。とりあえず廊下に貼ってある〝走らないようにしましょう〟とか〝あいさつをきちんとしましょう〟とか〝ありがとうをきちんと言おう〟といった程度のことは、未久は考えずともできる範囲のものだった。

その池田先生がさわやかな笑顔で未久の具合を窺って来た。いえ、別に気分も悪くないし、体調もとてもいいです。そう心の中でつぶやいたが、課題をするのが嫌だったので未久は仮病を使い保健室に逃げ込んだ。

一人になるとホッとする。できれば保健の先生もいなくていいのに、と未久は白いベッドの上に仰向けになって真っ白な天井を見つめていた。教室の白い天井を思い浮かべる。大きな出っ張りが柱のようにごんと突き出ていて、ところどころにシミがある。たまに手形を見つけたりするとどうやってつけたんだろうと想像した。蛍光灯にはかならずほこりがたまっていた。みんなは気がつかないけど、未久は、太陽の光が差し込んだ早朝の教室でほこりがキラキラと舞っているのを知っている。つまりほこりの中で私たちは、教科書を朗読したり背伸びして息を吸ったりあくびをしたりしているんだ。保健室の天井も同じ色なんだけど、ベッド横にかけられたカーテンがピンク色をしているからなのか天井も少し印象が違うし、教室よりもシミも少なくてキレイな白のままだった。教室より保健室で過ごす人間の量が全然少ないからキレイなままなのだ。つまり、人間は息をして話して走り回っているだけで、ほこりを作り何かを汚して生きてるんだ。

そんなことを考えながら、軽く咳を何度かしてみた。未久の仮病の基本だった。こんなことをしてもたぶん保健の先生は気づいているのだろう。早くチャイムが鳴って休み時間にならないかなと未久は時間が経つのをひたすら待っていた。

「もう大丈夫です。教室に戻ります」
あと五分程でチャイムが鳴るという時間に未久は保健の先生にお願いして〝釈放〟してもらった。制服の紺のジャケットを着てきちんとお礼を言って頭を下げた。

保健室を出ると長い一本の廊下がある。そこを一人静かに歩く。突き当たりには未久の好きな給食室がある。未久はいつものように、ドアのちょっと高めにある小窓から室内をのぞき込んだ。

そこには〝お食事三人娘〟と呼ばれるおばさんたちがいる。今日もお揃いのスモックとハンカチを頭に結んで子供たちの嫌いなニンジンをざくざく包丁で切っていた。三人は一緒に歌を歌いながら、リズムに乗せて赤いニンジンを切っていく。♪リンゴの花ほころび、川面に霞み立ち　君なき里にも春はしのび寄りぬ……歌っているのはロシアの民謡〝カチューシャ〟。包丁で叩く音が、四拍子ごとに強くなり、やがて音楽の合いの手のように響き渡る。壁に貼ってある今日の献立には、トマト味をベースとした〝ミネストローネ〟と書いてある。ミネストローネにはニンジンが入っている。給食のメニューに大抵ニンジンが入ることに未久はいつも納得がいかなかった。そしてなんだってこの人たちはこんなにも楽しそうに給食を作っているんだろう。こんなに楽しそうなんだから、実は白雪姫に出てくるいじわるな魔法使いみたいに毒給食を作っては密かに楽しんでいるんじゃないか、そんな妄想が未久の中で広がった。

「こんにちは」

いつの間にか未久の隣にパン屋のおじさんが立っていた。いやおじさんはちょっと可哀想だ、おにいさんは、いつもひょうひょうとした顔で木箱に入ったパンを持ってくる。

身長は高いけどたいしてかっこよくもない顔で、笑うと口がふにゅと大きくなって下の歯まで見えた。私は、黙ってお辞儀をし、扉を横に開けてあげた。おにいさんは、ありがとうと言って中に入って行くとお食事三人娘が一斉に華やかな声をあげた。

「水縞く〜ん」

おにいさんはお食事三人娘には人気が高い。

「パン持って来ました〜」

おにいさんは木箱を机に置いて、かぶせていたキッチンクロスをちらっとめくって中のパンを見せた。

「まあ、今日は栗のパンなの？」

と三人娘は声をそろえて言った。なんとなく顔も似ているので、もうおばあちゃんと呼ばれる年だと思うけど、もしかしたら三つ子なのかもしれない。

「ええ、秋ですからね。おいしいと思いますよ。ライ麦パンも下に入ってますから。ミネストローネによく合います。もちろん、みなさんの分も入ってます」

とおにいさんは隣に置いてあった空の木箱を抱えて出てきた。三人娘は、ニコニコと見送っている。未久がおにいさんの背中を見送っていると授業の終わりを告げるチャイムが鳴り始めた。


未久が教室に戻ると、仲のいい奈緒美ちゃんが大丈夫？　と心配してくれる。未久のクラスメイトはおおげさに未久に優しくしてくれるか、なんとなく近くに来ない人のどちらかになっていた。千沙ちゃんなんか、ずっと一緒に遊んでいたのに今では空気色の大きなボールが間にあるみたいに近くに行こうとしても何かに跳ね返されてしまう。だから私は、もう近づこうとしなくなった。こんなとき、男子は馬鹿だ。いや、いい意味で鈍感だと考えればいいのかなと思う。いつもと変わらずふつうににらめっこしてくる。その鈍感さが嬉しかった。

放課後、未久は校舎裏にあるうさぎ小屋へ向かう。えさをやる当番だったので牧草とかぼちゃの葉をあげていた。無心になって食らいつくうさぎを見て、どうしてうさぎはこんなオリに入れられたまま明日を迎えたいと思うのだろうか、うさぎは寂しがりやで孤独が嫌いだからかわいがってあげましょうと池田先生が言っていたけど嘘だと思う。こんなに適応能力が高くて草なら何でも食べて独りで小屋にいても元気なのだから。そんなことを思っていると池田先生が未久を呼んだ。

「川島さん」

あらためて、話があるときに先生はいつもこう呼ぶ。未久は、はいと答えてうさぎ小屋から出て長靴を脱いでいると、先生が近づいてきた。

「川島さん。おうちの方、大丈夫？」

未久は、頭に一瞬熱くてするどいものが走った。頭にきたという日本語は正しいのだと思う。大丈夫な訳ないじゃないか。

「いろいろと大変だよね。先生ね、何かできることないかなと思って。……今度お父さんとお話ししてみようか。話すだけでも楽になるから」

「大変じゃありません。今まで通り何も変わらないです」

じゃ失礼します、と言って未久はその場から立ち去った。噂になっている。村中の噂になっている。きっと勝手な想像をしてみんなで笑ったり悪口を言ったりしてるんだ。みんな嫌いだ。何も知らないくせに。

未久が勢いよく校門から出てくると、ちょうどバスがやって来た。未久はバスに飛び乗った。運転手さんは未久が座ったのを確認してバスを発車させた。池田先生が、校舎の前から手を振っているのに気づいたけれど未久はすぐさま教科書を取り出し見えていないふりをした。

バスが角をまがって、学校が見えなくなると大きなため息が出た。何も変わってない。何も。きっと何日かしたら元通りなんだ。未久は自分に言い聞かせた。

急な坂道を上っていくと〝ツキウラ〟と書いたバス停が見えてくる。運転手さんが未久を見る。

「今日はこの先まで行きます」

バスは発車しどんどん山の上まで走って行った。

山の上には、そびえ立つ大きな白いホテルがあった。未久は大げさな入り口の自動扉をくぐる。高い天井にはシャンデリアがいくつもぶら下がっていて、その下には大きな長い階段が続いていた。広いロビーではタキシードを着た男性がバイオリンを奏でている。村でこのホテルを知らない人はいない。未久のママはいつも嬉しそうに、パパのホテルは世界中の偉い人が集まって会議を開いたり、バカンスにやってきたりするようなホテルで、部屋にはブルガリのシャンプーがそろえてあるのよと言っていた。ここでパパはコンシェルジュとして働いている。コンシェルジュって何するの？　と未久が聞くとママは、パーティでどんな食事を出すか、どんな花を飾るか、どこの観光がおもしろいとか、なんでもお客様の希望を叶えてあげるのよ、普通なら五十歳くらいでないとなれないのにパパは若いのにがんばったから四十歳でコンシェルジュになれたのよ、パパはいつも最高に楽しい時間をお客様に作ってあげているの、とママは頬を上気させて話していた。

だけど、そのパパのがんばりが問題だったことも未久にはわかっていた。パパはいつもホテルのことを話しホテルのことを考えていて、家にあんまりいなかったし、いても自分の部屋に閉じこもってホテルについて勉強していたから。

未久は女の人の声でハッと我に返った。金色の髪をした女の人が階段を下りながら手を大きく振って何かを叫んでいる。声色もそうだし、何よりぱつぱつなジャケットの袖が破けるんじゃないかという勢いだったので怒っているのは未久にもわかった。そこに階段の上からパパが現れた。その女の人を追いかけ、パパは必死で英語を話し、一生懸命説明をしていた。そして何度も深く頭を下げていた。そしてようやく落ち着いた女性は部屋に戻って行った。「パパ、元通りだよね？」未久は声にならない言葉でパパの背中に問いかけたけれど、パパは一度も未久に気づかずに姿が見えなくなった。未久の心の中にとどまった言葉は石のようにどんどん固くなっていった。

未久の家は、高台にあった。ツキウラのバス停から坂道を、そしてさらにまがりくねった道を上り草原をしばらく行くとペパーミントグリーンの壁に赤い屋根と扉の大きな家が建っている。家の周りにたくさんのプランターが置かれているがそのどれにも植木は生えていなかった。

未久は、郵便ポストをのぞき込む。入っているのはパパ宛のものばかりだった。

未久は、それらをじっとながめてからぐいっとポストの奥に戻し、自分で玄関の鍵を開けて中に入っていった。

家の食卓は、大きな四角い木のテーブルだった。そこに〝今日のごはん代〟と書かれたメモと千円札、カップラーメンが置いてある。家に人の気配はなく、キッチンの水道の蛇口から定期的に落ちる水滴の音だけが聞こえてくる。未久は着替えもせずに制服のまま部屋の隅に立って、椅子が三つ置かれた食卓を冷たいまなざしで見つめていた。棚にはお揃いのマグカップが三つ。壁にはパパとママと未久の絵が貼られている。三人が輪になって手をつなぎ、上を向いて笑っている顔を未久が描いたのだ。未久は突然食器棚から、大きなお皿を三枚とって、食卓に一枚ずつ並べた。そして、ひとつの席に座る。いつもの未久の場所だ。この食卓は三人分の料理を並べるためにある。未久は一枚一枚のお皿を順に見て、背もたれにどんともたれて天を仰いだ。木でできている天井は、人が〝減った〟のに以前より汚れている。天井の梁に、蟬の抜け殻がくっついているのが見えた。いつ入って来ていたのか、未久には全然わからなかった。蟬の抜け殻は、透明な茶色で触れれば簡単につぶれそうだった。それなのに、夏から十月になる今までこのままの姿でずっと残っていたのかと思うと、なんだかせつなくなった。未久は、全身から力が抜けていき、ずるずると椅子から滑り落ちて、そのまま日が完全に沈むまでずっと抜け殻を見つめていた。

「ただいま」という声で未久は目が覚めた。時計を見るともう十時を過ぎていて、あのままずいぶんと寝てしまっていたんだと気づいた。食卓の下で寝転んだまま顔を横に向けると、暗闇の中にスーツ姿のパパがうすぼんやりと立っていた。パパは未久の有り様を見て大きなため息をつき電気をつけた。そしてもう一度、ただいまと言いながら食卓に近づいてきた。未久は、まずいと思った。テーブルの上には三枚のお皿を並べたままにしていた。未久はパパの足の動きを観察した。

見た。ような気がした。

「パパ、あのね」

体を起こして未久は食卓の下から顔を出した。パパは未久の話は聞かずに千円札をかざして、

「未久、ごはんちゃんと食べなきゃダメだろ」

と未久の前にしゃがみこんだ。未久は、パパの顔をじっと見た。パパ、すぐに元に戻るよね。今だけだよね。そう言おうとして息を吸った瞬間だった。パパが目をそらして、未久に背を向け鞄を置いた。そしてやかんを洗ってそこに水を入れ始め

た。未久はパパの後ろ姿をずっと見ていた。すると未久の口が勝手に動いた。

「パパ、ママの作った、かぼちゃのポタージュ食べたい」

未久の言葉にパパの動きが一瞬止まり小さく息を吸って、そこで止めた。そして振り返った。パパの顔はしわしわで、泣いてるように笑っていた。パパのその顔を見た瞬間、すべてが完全に壊れたんだとわかってしまった。未久は体の力が全部抜けて気がついたらまた食卓の下に仰向けに寝転んでいた。もう天井は見えなくてただ、食卓の天板の裏だけが見えた。それはとても汚れていて角には小さなクモの巣がはっていた。


いつもの坂道を下って行く。今日ほどくつしたを穿く気になれない日はなかった。いつもの白い丸襟のブラウスを着てプリーツスカートを穿いて臙脂色の紐タイをチョウチョ結びにしてジャケットを着て全部ボタンをしっかりととめる。どんなに丁寧に着替えてもすぐに支度ができてしまう。玄関にかけてあるつばの大きい帽子を頭に乗せて、いってきます、と言ってパパの行ってらっしゃいの言葉を待たずに家を出た。パパがいなければ今日は、絶対にベッドから出ていない。

ツキウラのバス停が見えてくる。未久がこのバスを使って学校に行くようになったのはつい最近の出来事だった。バス停に着いた未久は、ゆっくりと空を見上げて大きなため息をついた。そう言えば池田先生に指摘されて初めて自分がため息をついていることに気づいた。

「ため息をつくと、しあわせが逃げていっちゃうよ」

じゃ、私はもういくつのしあわせを失ったのだろうと考えながら、空を見続けていた。空の雲は、夏から比べると随分と様子が変わり、鱗雲が空を覆っている。未久はこのままバスがこなければいいのにと祈っていた。けれどそういうときに限ってバスは定刻にやってくる。運転手さんがドアを開けても、未久の足はどうしても動かなかった。そうやって未久は二台のバスを見送った。一瞬強い風が吹いて未久はとっさに目を瞑った。風は未久の頬に吹き付けて通りすぎていく。そして風がおさまった頃目を開けると、草原の奥から一人の女の人がこちらに向かって歩いてくるのが見えた。

この女の人は、バス停から続く草原の中の一本道の先にある『カフェ・マーニ』というお店の人で、水縞りえといった。色が白く、優しい顔立ちで、かといって何でも許すというよりむしろ許さないという瞳の力を感じた。

りえさんに、「なにかあったかいものでも飲みますか？」と案内されて、未久はその間学校に行かなくていいと思いお店に逃げ込むことにした。お店に入るとぷんとミルクの匂いがしてカウンターの方を見るとそこにはパン屋のおにいさんが立っていた。にっこり笑ってお鍋でミルクを温めている。

「こんにちは未久ちゃん」

そうなんだ。ここがおにいさんのお店なんだ。そういえば水縞って名前だった。

「やあ」

奥の席に座った黒い服のおじさんが帽子を少しあげてあいさつした。外国のコメディアンにこんな人がいた、と未久は思った。りえさんが、阿部さんです、と紹介したので未久は、ただ小さくゆっくりとお辞儀をした。阿部さんの背景に見えた窓から見える湖は、一枚の写真のようにキレイだった。青い湖と白い雲、そして黄金の葡萄畑。未久はその景色に吸い寄せられるように窓の方に歩いて行った。

「どうぞ。熱いからやけどしないようにしてくださいね」

おにいさんが、大きな窓の前のテーブルにホットミルクを置いてくれた。そして小声で、僕は水縞尚っていいますと自己紹介した。未久はこくんと頭を下げてその席に座った。学校に関係のある人と会いたくなかったというのが正直な気持ちだった。けど、きっと黙っていてくれる、学校には連絡しないでいてくれる、水縞くんはそう思わせる空気を持っていたから、未久は安心して椅子に腰掛けた。

中をのぞき込むと、白木をくりぬいて作られたカップの中で真っ白なミルクが湯気を立ててとても温かそうだった。未久は、両手でカップを持ち、ホットミルクを一口、ごくんと飲み込んだ。おなかの中が暖かくなる。未久はそれがとても久しぶりの感覚だったので嬉しくなって続けて口に運んだ。

隣の阿部さんが珈琲カップを置いてため息をついた。

「ため息をつくとしあわせが逃げるらしいですよ」

と、未久が池田先生の受け売りの情報を投げてみる。

阿部さんは笑って窓の景色を眺めてささやいた。

「これはため息じゃありませんよ。息を吐いたんです」

阿部さんの足下に、すごく大きな革のトランクが置いてあるのが見えた。

「あの」

と未久は恐る恐る聞いてみた。

「このトランク、何が入ってるんですか？」

「これですか？　それはね」

阿部さんはまた窓の方へ向き直って珈琲を飲んだ。

「私だけの秘密なんですよ」


未久は残りのミルクを飲み干して、じっと窓の外の風景を見つめていた。少し靄のかかった島が今日はぽっかりと湖に浮かんで見えてきた。

「ここから見える景色、ほんと毎日違うんですよ」

水縞くんが窓の景色を見ながら言った。

「キレイなだけじゃありません」

未久は水縞くんが学校ではけっして見せない別人のような顔をしているのに驚いた。その目には、すべてを受け止める覚悟というものが見えた気がした。

「水縞くんは、小さい頃からパン屋さんになりたかったんですか？」

「違いますよ。僕はもともと東京で違う仕事をやってたんです」

「じゃどうしてパン屋さんになったの？」

「なんだろうな。食べるのが好きっていうのもあると思うけど、パンっていろんな形がありますよね。粉と水、たったそれだけのものからこんないろんな形ができるって楽しいなって。それに僕は小さい頃毎日ごはんだったから、パンってなんか特別な感じがするんですよ」

未久にとってパンはパパがホテルでよく買ってきてくれていたので特別なものではなかった。ただ、水縞くんが言う通りいろんな形があるのは面白いと思った。

突然、どこかで嗅いだようななつかしい香りがふわっと未久を包んだ。振り返ると、キッチンに立っているりえさんの顔に湯気が立ち上っているのが見えた。りえさんは栗のポタージュスープを作っていると言った。

「かぼちゃのポタージュって作るんですか？」

どうしてこんなこと聞いちゃったんだろう。未久は自分にとまどった。りえが怪訝な顔をしているので、慌てて「そこにオレンジ色のかぼちゃがあったから」と未久はカウンターの奥のキッチンを指さした。

「ああ、あれね、パンの材料なんです。秋だから水縞くんがかぼちゃのパンを作ってるんですよ。未久ちゃんも食べていきますか？」

そう言って未久と阿部さんにかぼちゃのパンを出してくれた。かぼちゃの色をしたやわらかいパンの上にかぼちゃの種がちょこんと乗っている。割ると、アツアツのかぼちゃのあんから湯気が立った。

「秋ですね」
そう阿部さんが言いながら、かぼちゃのパンをはふはふと口に頬張った。
かぼちゃのパンはかぼちゃの味がしっかりしていいてとてもおいしかったけど、私には少し苦々しかった。

未久は小さくごちそうさまでした、とつぶやいてランドセルを肩にかけた。水縞くんが、学校にパンの配達に行くからと、一緒に車に乗せていってくれた。揺れる車の中で未久は、ざわざわと落ち着かず嫌な予感がしていた。

学校に着くと、パパが立って待っていた。もう十一時を過ぎていたから池田先生が連絡したのは未久にもわかった。パパはいきなり未久の腕をつかんで、「何をしていたんだ」と怒った。池田先生も飛び出してきた。未久は、パパがつかんだ腕が痛くて、ただ痛い痛いと抵抗していた。パパはなにか怒鳴っていたけど音を消したテレビみたいに必死に何か言ってる顔だけが見えて、未久には何を言ってるのか全然聞こえなかった。教室から子供たちが顔を出し一気にその数は増えて行った。パパの手が未久の体を揺さぶってくる。痛いよ。痛い。こうやってママの言うことも何も聞かずにパパはママを怒ってたんだ。きっとそうなんだ。パパが両手で未久の腕をつかみ、顔をどんどん近づけてくる。

「見ないで」

小さくつぶやいた未久の腕から、力の抜けたパパの手がゆっくりと離れていった。パパはそのまま立ちすくんでいたけど、未久にはパパが宇宙の無重力空間のように遠くまで飛んで行ったように見えた。

その後は水縞くんが池田先生に何度も頭を下げて、自分がカフェで勝手に休んでもらったと謝っていた。未久は、淡々と自分がバス停で気分がすごく悪くなったので、水縞くんが助けてくれたと、そしておいしいパンとホットミルクをごちそうになったと説明した。水縞くんは学校に連絡をしなかったことで注意を受け、未久は知らない人と口をきいたと怒られた。だってパン屋のおにいさんだよ。みんな知ってるよ。そう思ったけど、ただ黙ってその場をやり過ごした。その後、未久はパパと早退した。

パパは未久とバスに乗り、ツキウラまで未久を見送ってそのままホテルへと出勤した。パパと未久は目線を合わせることもなく一言も口をきかなかったけど、パパは一度だけ何かを言おうとしたように見えた。けど、すぐに言葉を飲み込んで窓の外を見たので未久も気がつかないふりのまま反対側の窓の外を見ていた。きっと全部パパが悪いんだ。パパのせいで何もかも取り返しがつかない。

夜になって軒から落ちる雨だれの音が、家の中に響いていた。

キッチンに立った未久はまな板を出して、次に包丁を取り出した。かぼちゃを刻む、ふりをしてみた。ずっといくつもの見えないかぼちゃを刻み続けた。

「おしっ。切れた。かぼちゃって、どうしてこんなに堅いのかな、ねえ未久」

今度はコンロにフライパンを置いて菜箸で炒めるふりをした。

「いい色になってきた、見てみて未久」

大きなお鍋を持って、

「ほら、タマネギとかぼちゃ、ここに牛乳じゃなくてちょっと生クリームを入れるとおいしいのよ、未久、聞いてる？」

言い終えて笑顔を作った瞬間、未久の手から鍋が転げ落ちて派手な音が鳴った。かぼちゃもタマネギも生クリームも入ってない。コンロに火もついてない。こんなことしててもずっとかぼちゃのポタージュは出来上がらない。未久は天井にしがみついている蟬の抜け殻を見上げた。抜け殻はどんどん小さくなって中にはもう蟬は入れないのだ。未久は明日、りえさんにかぼちゃのポタージュの作り方を教えてもらおうと心に決めた。

宵闇の頃、カフェ・マーニはすべての光が黄金色だった。テラスの奥の草原の草も、テラスの木の床も、カフェの壁も、りえさんの顔も、りえさんの髪さえも一本一本光に反射して透けるような金色に染まっている。ランドセルを背負った未久は、ひとりテラスに立っていた。黙々と料理をするりえさんの姿、それはまるでまっすぐな一本の木のようだった。折ろうとしてもなかなか折ることはできない。そして一度幹を切り落としてしまうと二度と根付かない、そんな気がした。

しばらく未久がその光景を眺めていると、りえさんがふと顔を上げて、いらっしゃいませと優しい声で未久を迎えた。未久は、テラスから中に入り黙って窓の前にある奥のテーブルまで行き、ランドセルをおろした。湖の水面が金色に輝いていた。どうしてこんなに美しいんだろう。そしてつらいときにばかりこんな風景を見つけてしまう。未久は黙って風景を見続けていた。

夕日が一瞬雲に覆われたとき、壁に本棚があることに未久は気づいた。そこには『月とマーニ』というブルーの本が入っていた。取り出すと表紙には、切れ長の目をした月を自転車のかごに乗せた少年の絵が描かれてあった。この月はどこかりえさんに似ている。本を開いて読み始めた。誰もが誰かのおかげで生きていて誰もが誰かの役に立っているとその本は伝えているんだと思った。だけど、と未久は思う。反対から見れば、人は誰かがいなければ傷つけられることもないし誰かを傷つけることもないということだ。

それに、月もマーニも一人じゃないから。一人でできることはとても小さいのだから。

月とマーニが手を取り合っている最後のページを見つめながら、未久は心の中でそう、つぶやいた。

「あったかいポタージュ、できました」

りえさんがスープの入った丸い木のお皿をテーブルに置いた。何も頼んでいないのに、昨日未久が話に出したからだろうか。湯気の奥に見えて来たのは黄色に少し赤が混ざった濃いオレンジ色。かすかなミルクと甘いかぼちゃの匂い。まぎれもなく、かぼちゃのポタージュだった。未久は自分の鼓動が激しくなって真っ赤に照らされたスープに意識が吸い込まれて行くのを感じていた。

湯気の奥にぼんやりと見えるママの顔はいつも優しかった。

「未久、できたよ」

そう言ってママは、あんまり上手じゃない料理を作ってくれた。でもその中で唯一特別においしい料理があった。それが、かぼちゃのポタージュだった。未久が喜ぶので、ママはよくかぼちゃのポタージュを作ってくれた。ママがこれを作るとなぜか必ずパパも一緒にテーブルを囲む。まるでかぼちゃのポタージュが家族を引き寄せているかのようだった。

今年の初夏になると、もうママはかぼちゃのポタージュを作らなくなっていた。

未久は段々眠れない日が多くなり、一緒に寝ているウサギのぬいぐるみに毎晩話しかけた。きみは、目が青いんだね。白いタオル地でできているのに目はフェルトなんだね。キッチンでパパとママが、喧嘩している声が聞こえないように必死で語りかけた。でもしばらくすると、もうそれくらいでは声が消えなくなってしまった。

未久はウサギを連れて一階のキッチンへと続く階段を下りていく。一段一段下りるごとに、ママの声が大きくなって机を叩く音が聞こえてくる。パパの声と一緒に、椅子をひく音が大きくキイッと響いて、未久は思わず両手で耳をふさいだ。手から離れたウサギが、ポーンポーンと階段を落ちていって死体のように未久を見上げた。未久が耳から両手を離したときはとても静かになっていて、ただ、ママの泣き声だけがかすかに聞こえた。

それから幾日もしない夜、未久はなんだか胸騒ぎがして全く眠れずにいた。ベッドの中で、空が夜を越えようとしているのをじっと感じていた。部屋のドアノブがガチャリと音を立てたとき未久は目を瞑った。ドアがゆっくり開いて未久の顔に廊下の灯りが当たったのがわかった。見てはいけない。大きな鞄を床に置く音がする。何か言うんだろうか。私の頭を撫でたりするんだろうか。でも何の声も聞こえないし、誰も未久に触れて来なかった。ただ、しばらくして息を吸う音だけが小さく聞こえて鞄を持ち上げる音とともにドアが静かに、閉まった。階段を下りる足音が小さくなっていくのに未久の心臓の音はどんどんと大きくなっていった。やがて窓の外から車のエンジンの音が聞こえて、未久は見ちゃダメという声を振り払うように起き上がって窓のカーテンを開けた。

ママが、知らないおじさんの運転する車に乗っている。ママの横顔は凍ったように冷たくてでも透き通るように美しく、未久の声は一度も音にならなかった。

「いらない。絶対にいらないから」

未久はかぼちゃのポタージュをりえさんに突き返して、勢いよく椅子を引いた。

「ごめんなさい。お邪魔しました」

りえさんが、未久ちゃん、と呼んだけれど未久はそのまま草原の中を駆けていった。ママが私を捨てたんだよ。ママが悪いんだ。かぼちゃのポタージュなんていらない。もうずっと永遠に食べない。未久は生まれて初めての誓いを立てた。


未久は誰ともしゃべらなくなった。池田先生はもちろんのこと学校でみんなと笑うのも嫌だった。パパが来た日からみんなも話しかけてこなくなったし、ただ変わらなかったのはお食事三人娘が今日も楽しそうに給食を作っているということぐらいだった。家に帰ってもパパはいないし、たとえ朝、顔を合わせても一言もしゃべらなくてすんだ。もう口をきかないと決めたのだ。池田先生は私の机にメモを残していた。課題の《好きなものと嫌いなもの》を出してくださいというものだった。

未久は鼻で笑い、それを丸めてポケットの中に入れた。

秋は太陽の光が照っていても空気がひんやりと冷たいのが月浦だった。未久は自分で探した制服のカーディガンをジャケットの下に着て、いつものように学校からバスに乗って帰ってきた。

「未久ちゃーん」

家の裏の森から声が聞こえた。切り株に座った郵便屋さんが手を振るのが見えた。郵便屋さんはまだ秋なのにもう紺のPコートを着て、未久の方へ駆けてきた。

「はい、これ」

と肩にかけた大きな黒いバッグから手書きの封筒を両手でしっかりと差し出した。淡い水色のホルンが描かれた封筒に【未久ちゃんへ】と青色の万年筆で書かれている。でも、それはママからではないことがすぐにわかった。ママは万年筆を使わない。封筒を開けると、二つ折りのカードが入っていた。

『あったかいばんごはん、作ってます。おなかがすいたら、来てください。　マーニ』

と小さな文字で書かれてあった。

「ありがとうございます」

と未久は郵便屋さんに頭を下げた。

「りえさんからちゃんと未久ちゃんに渡してくださいって頼まれたので、やっぱり直接渡そうと待ってました。じゃ！」

郵便屋さんはにこっと笑ってスクーターに短い足を軽快にかけた。郵便屋さんのオレンジ色のスクーターが、曲がりくねった道を抜けて、三本の木だけが立つ広い草原の中を走り去って行った。


一番好きなワンピースを着てみた。たった一人で食べに行くのにどうしてこの服なのかわからないし鏡に映る顔はむっつりしていて別にかわいくもなかったけど、その上にボレロをはおりマーニに向かった。


「未久ちゃん。いらっしゃいませ。お待ちしていました」

ひとつひとつの言葉を丁寧に紡ぎながら、りえさんがとても柔らかな笑顔で未久を迎えた。こんばんは、とあいさつすると、今日はカウンターに座った黒い帽子の阿部さんが手を顔の横にあげて、やあ、と言って珈琲を飲んだ。未久はりえさんに案内されてカフェ奥の大きな窓の前のテーブルまでやってきた。いつもとテーブルの配置が変わっている。今夜は四角のテーブルがひとつだけ。そのテーブルに向かい合わせで、二脚椅子が置かれている。

未久はテーブルの左側に座った。窓に向かって左、それが家での未久の指定席だった。

「今日はね、真狩《まっかり》からりっぱなゆりねが届いたんです」

そう言ってりえさんは、カウンターに置いてあった段ボールの中から、おがくずに埋められたゆりねをひとつとって、未久に見せた。そのゆりねは真っ白でりえさんの拳ぐらいの大きさがあった。

「未久ちゃん見ますか?」

未久はりえさんのいるカウンターの方へ駆けて行った。背伸びして段ボールの中をのぞき、おがくずをはらう。中からまたゆりねが出てきた。

「ひとつのゆりねができるのに六年もかかるんですねぇ。かわいそうだけど、ゆりの花が咲く前につぼみを切って根っこの方へ栄養分を送るから、ぷっくらとしたゆりねができるんですって」

りえさんが指でゆりねを撫でるように触りながらつぶやき、

「今日はこれでコロッケを作ります。阿部さんも食べていってください」

そう宣言して料理を始めた。未久はカウンターの阿部さんの隣に座って、りえさんをずっと見ていた。


ゆりねを一片一片はがして木のプレートに並べて行く。お湯が沸いたお鍋にざっとゆりねを落としてゆがく。隣ではフライパンでみじん切りにしたタマネギとしめじをオリーブオイルと少しのにんにくで炒めていく。そこに乾燥バジルとバルサミコ酢をかけて火を止めた。ゆりねが柔らかくなったら、水気を飛ばしてつぶしていく。未久は、お食事三人娘を思い出した。どうしてあの人たちもりえさんもこんなに楽しそうに料理をしているんだろう。りえさんが未久にゆりねの入ったボウルと木べらを渡した。

「これ、つぶしておいてくれる？」

未久はどうしていいかわからなかったけど、とりあえずりえさんがやっていたのを思い出してゆりねをつぶしていく。意外とやわらかく、ほくほくとつぶれていく。カウンターの椅子にボウルを置いて未久は立ってやり始めた。それを見てりえさんは笑い、フライパンでひき肉を炒めた。そこにタマネギとしめじの炒めたものを混ぜて、未久がつぶしたゆりねをよくかき混ぜ、塩と胡椒で味付けした。

「これで具のできあがり」

りえさんが手で小さく丸めながら切れ長の目で笑った。

「未久ちゃんもお願いします」

未久は具でいくつもボールを作っていった。図工の時間、粘土をこねているときに似て心がどこかに行ってしまったみたいに、未久はただ手の感触に集中していた。

すると突然玄関の扉が開く音が聞こえた。未久は、振り返って心臓が止まった。扉の前に立っていたのはスーツ姿のパパだった。パパの目もまんまるになっていたので恐らく私がいることを知らなかったのだろう。パパの後ろから入ってきた水縞くんが「すみません。僕がお呼びしたんです」とのんきな顔で言い、

「お待ちしてました。どうぞ」

とりえさんが窓辺のテーブルにパパを案内した。パパは窓の右側に座った。これも家と同じパパの席だった。未久は少し騙されたような気分になって、いますぐにでも帰りたくなった。

目の前にパパが座っている。未久はどこを見ていいのかわからなくなってうつむ

いてしまった。りえさんがコロッケを揚げる音が響く中で、パパはやることがなくなって水を飲みながら窓の外ばかり見ていたけど、暗くなった窓からはもう何も見えなくて、パパの疲れた顔とむっつりした私の顔だけが映し出されていた。

テーブルの上に料理が並んだ。ゆりねときのこの小さいコロッケ、目玉焼きのココット、ブロッコリーとカリフラワーのチーズ焼き、サニーレタスとプチトマトがワンプレートに盛りつけてある。ココットとは、ココット皿と言われる小さくて深いお皿に卵や野菜を入れてオーブンで焼く料理のことだとりえさんが説明した。

「ではごゆっくり」とりえさんが席を離れた。その瞬間からパパと未久の沈黙がまた始まった。カウンターでは阿部さんが元気よく、

「りえさん、いただきます」

と先のまるい木のフォークでコロッケを刺して、サクッと言う音をたてて頬張った。

「やあ、これは」

と感嘆の声をあげてコロッケを味わっていた。

「いただきます」

と未久が手を合わせると少しとまどいながらパパもその後に続いた。

「いただきます」

たどたどしく木のフォークをとり、パパの様子を冷静に窺いながら未久は食べ始めた。

二人がこうしてひとつのテーブルで向かい合って食事をするのは、ママがいなくなって初めてのことだった。割ったコロッケはゆりねの白さがひときわ目立って、食べるとおいものようにかすかな甘味があり、きのこのこりこりとした食感が伝わってくる。こんなときでもおいしいものは食べられるんだ。そう思ったけどもう次の一口にはあまり味がなかった。ちらっと見たパパのお皿もきれいになっていたから、きっとホテルでカップラーメンばかり食べていたんだろうと未久は想像した。食べ終わるとカフェの中に静けさがひろがって、店の外から虫の声が聞こえてきた。このまま別々に帰ればいいんだろうか、未久はもう帰りのことを考えていた。

「どうぞ」

未久とパパの前にひとつずつ、りえさんは木の器に入ったスープを置いた。未久は冷めた目でそれを見た。そのスープは濃いオレンジ色をしていて少し生クリームがかけられ真ん中にかぼちゃのかけらが浮いていた。

「かぼちゃのポタージュ」

　未久は怒りを込めてつぶやいた。いらないと言ったのに。唇をかみしめる。震える息が口からもれて胸が大きく膨らんだりしぼんだりする。未久は椅子をひいて立ち上がり、りえさんと水縞くんのいるカウンターの前を通って玄関を飛び出した。奥で未久と叫ぶパパの声とりえさんの未久ちゃんという声を振り払うように、未久は玄関の扉が開かないように背で押さえた。未久は大きく深呼吸しながらスカートの裾を握りしめる。未久は空を見上げた。そのとき、満月を二つに割ったような弦月が大きく見えた。それは光り輝いていて未久の手を照らしていた。あたりに灯りなんて何もないこの場所で未久は自分の手がはっきりと見えることに気がついた。『月とマーニ』の中でマーニは月がいなくなると夜道に歩く人が迷っちゃうと言った。今夜の月は私を照らしている。未久は月になにもしてないのにね、と話しかけた。輝く月を見ていると不思議と、逃げちゃいけないんだ、という気がして未久はもう一度月を見上げた。そうして、大きく息を吸って玄関の扉を開けた。

　かぼちゃのポタージュがそのままの形で整然と輝いている。未久は、木の器の端を手でつかんでゆっくりと自分の方へ引き寄せた。そして、スプーンですくって、かぼちゃのポタージュの匂いを感じた。口の中に滑り込ませる。甘ったるくて塩味の効いたポタージュを舌全体で味わった。思い切って飲み込む。のどを通過する音がごくりと高く鳴った。パパは、立ったままじっと未久を見ていたけど、一度だけ大きく息を吸い、決意した様子で座りスープの器を自分の方に引き寄せた。パパはポタージュをひとさじすくって口に運び、かみしめながらごくりと飲み込んだ。目線を落としたまま未久はパパに言った。

「……おいしいね」

「ああ、おいしいな」

「でも違うね。ママのかぼちゃのポタージュとは違うね」

パパは、スプーンでポタージュをかき混ぜながら答えた。

「ああ、違うな」

その声はもうすでにかすれていた。未久は、パパから目をそらさずに続けた。

「ママは……もう戻らないんだよね」

パパは黙ったまま何も答えない。未久はさらに強く、はっきりと問いかけた。

「ママは、戻らないんだよね」

じっと見つめる未久の目をパパはしっかりと見た。

「ああ……ママは戻らない」

未久の顔がくしゃっと緩んだ。口を真一文字に閉じて力を入れる。涙が出ないように。パパは頭を下げて、ごめんなと謝った。今まで黙っててごめんな、と。未久は自分の目がどんどん熱くなるのを感じた。涙と一緒に突き上がってくる嗚咽を、唇をかみしめて必死で抑えていた。

そのときだった。微かにアコーディオンの奏でる音楽が流れてきた。阿部さんがアコーディオンを弾いている。体を横に揺らしながら、開いたり閉じたりしながら阿部さんは顔を上げずに弾いている。ゆったりとしたメロディに乗った調べは哀しくて言いようのない寂しさがあふれていた。けど阿部さんの顔はとても穏やかで悲しみや寂しさを包み込む優しさに満ちていた。阿部さんが祈りを込めながら弾いているのが伝わってくる。届け、届け、と。耳から滑り込んだ音が未久の体中に広がって行くのを感じた。そしてそれが心臓に到達したとき、未久は立ち上がった。

パパ、と呼んでみる。

すると未久の手を引き寄せてパパは未久を抱きしめた。その瞬間、未久はもう涙を止められなかった。パパの腕の中で思い切り泣いた。もっと早くこうしたかった。

ずっとパパと一緒に泣きたかった。未久はそのとき初めてそのことに気づいた。

水縞くんが焼いたパンをひとつだけお皿に載せて持って来た。そのパンは大きめのフォンデュ、つまり〝双子〟を意味する名前らしく、まるをふたつくっつけたような形をしていた。

「お二人でどうぞ」

「まるまるパンと言います。未久ちゃんとパパのパンです」

パパはもう何年もそんなことをしなかったのに未久を自分の膝の上に乗せて、両手でパンをふたつに分けた。ひとつを未久にくれたので未久は、ありがとう、と言ってそのパンを受け取った。パパも未久も小さくちぎり、同時にかぼちゃのポタージュに浸した。たっぷりかぼちゃの味を吸い込んだ柔らかいパンを口に運ぶ。かぼちゃの甘みと生クリームのとろみが口の中に広がって行く。未久とパパは顔を見合わせて、笑った。阿部さんのアコーディオンが軽快な音楽に転調したように聞こえた。テラスからのぞき込んだ羊のゾーヴァもリズムに合わせて頭を揺らしている。未久とパパは、またパンをちぎってスープにつけて口に運び一緒に笑った。こうして阿部さんの演奏が終わる頃には、未久とパパのふたりのスープの器は最後の一滴までされいになくなっていた。

北海道の雪化粧と名付けられたかぼちゃは名前の通り白いかぼちゃで熱すると皮も緑に変化する。柔らかいほくほく感と甘みが強いのだと、りえさんが教えてくれた。

そのかぼちゃをオリーブオイルで炒めて、少し火が通ったらひたひたに水をいれ、ローリエを一枚添えて弱火でトロトロ煮ていく。柔らかくなったらそれをミキサーにかけ、そこに牛乳を混ぜて、塩で味付けすれば「かぼちゃのポタージュ」のできあがり、とりえさんは切れ長の目で笑った。あ、ひとつ忘れちゃいけないのは最後に煮るとき、目を伏せて祈りながら両手で鍋のふたをしめること、と付け加えた。

月が空高くのぼった頃、未久とパパは、りえさんと水縞くんに深く頭を下げて店を後にした。

湖面に月が浮かんでいる。そこから月の道と言われる一筋の光が湖畔までのび、それが水の動きに合わせてキラキラと揺れている。冷たく涼やかな風に吹かれながら未久とパパは縦に並んで歩いていた。虫の音だけが聞こえる中、左手で草原の端の草を触っていたけど、それが途切れたので未久はゆっくり立ち止まった。パパもそれにあわせて立ち止まったのがわかる。未久は振り返らずに、パパ、と呼んだ。そしてそっと右手を出した。パパは未久の手を左手でしっかりと握った。月の光を頼りに二人はひとつの影となって、家路をたどっていった。未久の心の中には《一人》という文字が消えて《二人》という文字が浮かんでいた。

後で聞いたのだけれど、阿部さんは昔有名なアコーディオン奏者で、理由はわからないけど十年前からずっと弾かなくなっていたらしい。未久たちに弾いてくれた日からカフェ・マーニのテラスでは、阿部さんがみんなのためにアコーディオンを弾いてくれるようになった。阿部さんは夜の湖を背景にとても楽しそうに何曲でも弾き、しまいには、もうみんなが終ろうと言い出すくらいだった。

未久はこの夜、パパが寝静まった後ママのマグカップを棄て、三人の絵を壁からはがしてきれいに丸めて勉強机の引き出しにしまった。ランドセルを開けると手紙が入っていて、それは奈緒美ちゃんからで「今度一緒に映画見に行こう」と書いてあった。

未久はひとり食卓に座ってみた。見上げると、梁にへばりついていた蝉の抜け殻はいつの間にか姿を消して、どこにもなかった。ただ、梁の木目の汚れだけが強調されているのを見て、未久は、パパと私で、どこまでも汚してやる、と決意して、《好きなものと嫌いなもの》の課題の作文を書き始めた。

壊れた番台とカンパニオ

神戸日日新聞さんですか？

いやあ、わざわざこんな寒い日にほんまにご苦労様です。番台から離れられへんのでここでええですか？　ええ、そこに腰掛けてもろたら。お茶くらいとおもいますけど、うちのもちょっと寝てますし、ここの珈琲牛乳でいいですか？　年とるとなかなかちょっとしたことが大変でお恥ずかしい限りです。これ、ちょっと冷たいですけどよかったら飲んでください。

はあ……。震災から十五年の特集記事の取材、ですか。う……ん。ちょっとすみません。おつりの小銭が足らんので近くに両替してきてよろしいですか。

すんません。お待たせしました。

震災ね……。

あの日からいろいろと変わってしまいましたからね。できたら話したくないという気持ちです。忘れんとこうという趣旨もわかります。ここらに住んでた人は忘れるも何も、ないですけどね。

せやけど確かに……私らは経験を伝えて行かなあかんというのもあります。天災はほんまにだれにでも突然起こるもんですから。

わかりました。そしたらお話しします。

名前は阪本史生《ふみお》いいます。昭和九年生まれですから今はえーっと……。そう！そうです。七十六、今年の誕生日で七十六です。ありがとうございます。最近はもう自分の年もちゃんと数えられへんのですから困ったもんです。ちょうど前の年から始まった『みなとの祭り』の準備で、うちのおやじが大騒ぎしてるときにぽこっと生まれたと聞いてます。その頃の神戸はまだ平穏だったそうです。

ええ、うちは父親の代から風呂屋です。せやからね、小さい頃から煙突ばっかり見上げてました。あそこから出てくる煙がなんや面白くてね、いろんな形に変わって生き物みたいやなあってね。ひとつひとつに名前つけたりして。せやからずっと風呂屋なるんやと思うてました。それ見ながら、お決まりですけど軍隊のラッパの節に合わせて♪起きろよ起きろよ皆起きろ　起きないと班長さんに叱られる、とか就寝のラッパに合わせて♪兵隊さんはかわいそうだね　また寝て泣くんだよ、とか歌ってうるさいと怒られてました。水商売の女のお客さんが「ミッドウェーミッドウェー言うて草木もなびく」と手ぬぐいまわしてたのも覚えています。あの戦争でもこの風呂屋は残ったんです。戦争が終わったとき、生き残った父親が夜中に風呂場で正座してて動かなくなったのを覚えています。それから叫び声を上げながら何度も水を浴びていました。

十二歳のとき母親が病気で死んでから風呂屋はもういややと思たんです。もう時代は一変していました。戦時中から近所の知ってるお兄ちゃんや友達のお父さんが戦死したと何度も聞きましたけど、母親がひとり死んだときの方が正直哀しいもんです。せっかく戦争で生き残っても人間は死ぬんやと思いました。母親の遺体が焼かれた火葬場の煙突。そこからどどっと吐き出される煙を見たとき、あの煙は生き物ではなくて、何かが死んでいってる証拠なんやと思うようになりました。

せやから自分の家にも、火葬場にあるのと同じようなコンクリートの煙突がそびえ立っているのがそれ以来苦手になって、よく近くの映画館に逃げ込んでました。映画が見たいというより、少しばかりの光源と暗闇が好きだったからです。そしてたまに色っぽい女優さんを見てはそれを楽しんでました。『カルメン故郷に帰る』

の高峰秀子さんとかね。高校卒業してから『マルタの鷹』に憧れて探偵になるとか『天井桟敷の人々』を見てパントマイムをやるとか、今で言うプー太郎、それももう言い方古いですが、みたいなもんでした。

それやのになんで風呂屋をやってるのか、っていうたらこれが不思議なもんです。昭和三十四年、二十五歳のときのことです。

ちょうど映画館ではその日今村昌平の『にあんちゃん』が上映されてて、私はね『ローマの休日』で大層べっぴんさんやったヘプバーンの『尼僧物語』の方がよかったななんて思いながらすこしばかり退屈して観てました。そしたらブラウスにフレアスカートといった出で立ちの女性が床をはいつくばっているのが見えたんです。

「どうしました?」

と聞くと、

「ちょっとペンダントを落としまして」

と言うんです。私は、一緒になって探し始めて、はたとどんなペンダントかわかってないから聞いたんです。そしたら他のお客さんから、

「うるさいな、静かにしいっ」

という怒声が飛んできて、私は謝りながら小声で女性に、

「きっと見つかります」

と笑ってみせました。今から考えたらかっこつけてましたんでしょう。ペンダントを見つけられたのは、結局映画が終わってからでした。灯りが点いた映画館で、私は女性の手のひらにそっと四葉のペンダントを載せました。ありがとう、そう笑った女性はまるで和製ヘプバーンのようで。大きな瞳、大きな口、きりっとしたまゆげ……。今から考えると髪型が一緒だっただけかもしれません。わかってます。全然似てないんです。けど私にはそう見えた。

それから映画館で会うようになって、なんとなく喫茶店でお茶したりするようになって一年も経たんうちにプロポーズしました。仕事ないと結婚できひんのでさっさと風呂屋継ぐこと決めてね。単純なもんですよ、人間。あ、私が単純なだけですかね。ははは。

いやいやそれが。きっぱり断られました。理由はなんも言わへんのです。ただ一言、

「それはできかねます」

と頭下げて謝られました。あの時はもう真っ暗というか真っ白というか何も見え

へんようになるくらい落ち込みました。私が年下やししっかりしてへんかったからか、風呂屋がいややったんか、いろいろ考えたけどあかんもんはあかんのです。断られて追いかけるなんて恥ずかしいこともできませんでした。だからあるだけのお金かき集めて、とりあえず「つばめ」に飛び乗って北へ向かったんです。もう行けるとこまで北の涯《は》てまで行ってやろうと。

はい、まだSLの時代です。夜になるとあの頃は灯りもないので真っ暗でね。そこにぼやんと浮かぶのはやっぱりあいつの顔で。青函連絡船の甲板から見えた無数の漁火がえらいキレイでね、とても悲しく見えて涙が出たのをよく覚えています。気がついたら北海道の有珠《うす》駅に着いてました。なんでそこで降りたのかはいまだにわかりません。ちょうど季節は、真夏の八月でした。

そう。そこが結果的にハネムーンになったんです。

ははは。……それがねぇ、再会、したんですよ。

有珠駅から月浦のあたりふらふらと旅してたというより彷徨ってたんでしょう。

「史生さん」

と自分の名前を呼ぶ小さな声が聞こえるんです。そしたらうちのやつが追いかけて来て。そのときの、うちのやつの顔いうたら。口を真一文字にしてただただ泣きじゃくってました。私が死にに北へ向かったと聞かされてたらしいですわ。私は幻を見ているんかともうびっくりでした。うん……三日月のぉ、きれいな夜でね。ずっと黙って一緒に見てました。それで帰り、有珠駅でもう一度プロポーズしましてね。それで……。

うちのは阪本アヤいいまして八十一になります。ははは、そうです。あの時分には珍しい五歳年上なんですよ。ちょっといまごあいさつもできませんけど。まあしわくちゃのおばあちゃんですから、ええですよね？　ははは。たしかに姉さん女房が肩身の狭い時代でした。

そんな縁もあって娘の名前は有珠の有と月浦の月と書いて有月《ユヅキ》って、付けたんですよ。ええ名前でしょう。結婚してから五年かかってやっと生まれたんです。オードリー・ヘプバーンには似てませんでしたけど、ふふふ、かわいい子でね。ええ子に育ってくれました。

……そうですねぇ、一緒に風呂屋やってきて五十年近くになりますかね。近所の皆さんが毎日来てくれて将棋したりオセロしたり一日中いては楽しんでくれてました。

地震で全部、なくなりました。

有月も逝ってしもて。アパートの部屋で下敷きになって死んでました。まだ二十九ですよ。仕事ばっかりして結婚もせんと。……死ぬのは、簡単なもんです。有月のアパート行くまでにつぶれた建物の中にいくつ足を見つけたかわかりません。でもどうすることもできひんのです。せやからやっと辿り着いたアパートで娘の足の裏見つけたとき必死でがれきをどかしましたけど、心のどこかでもう助からんと思いました。こうして道路を見てておんなじような年の娘さん歩いてるじゃないですか？　この人らは生きてててなんで、うちの子が、と正直何度も思いました。口には出しませんけどね。それが、地震です。天災なんです。

……あのときね、うちは全部つぶれましたけど、奇跡的に風呂桶が残ったんです。その風呂桶見て、うちのやつ、

「これがほんまの露天風呂やな」、言うて笑うてました。

人間ね、あったかいことがごちそうですよ。ずっと冷たいおにぎりやパンや冷めた揚げ物で、もちろん正直それでもありがたいんですよ。でも地震のあと、初めてあったかいお味噌汁飲み込んだとき、涙があふれてあふれて止まりませんでした。せやから、みんなにあったかいお風呂入ってもらお思って、がんばって建て直してね。ほんまに寒い季節でしたから。

一番嬉しかったんは、ポリタンクでお水運んでドラム缶でお湯沸かして、初めてお湯につかってもろたとき、ええ、壊れた浴槽だけかたづけて露天のままですけど。両親もお姉さんもなくして一人になってしまったという見知らぬ青年が、

「初めて生きてるって実感したわあ」

と言うてくれたことです。

十五年、ほんまにあっと言う間でした。みなさんのがんばりで神戸も、ようここまで来ました。

……十分や、もう十分やなってよう思うんですよ。だってそうでしょう。戦争があって地震があってようがんばって生きてきたと思います。でももう……。

昨日できたことが、今日はできへんのです。うちのやつにもなんもしてやれん。若いときはね、明日、また違う自分がおるから、楽しみにできるんですよ。そやけ

ど、なかなか……できなくなることばっかりで……あきません。

いいえ、北海道にはあれから一度も行ってません。遠いですからね。あの時分に比べたら近いんでしょうけど。私ら一生懸命働いて長いこと休めるときもなかったもので。ほんまはもう一度だけでもあいつにあそこの月をみせてやりたいなあとは思いますけどね。体ももう弱ってますし無理でしょう。

なんやしゃべりすぎました。

いえいえ、こんなに長いこと私らみたいななんでもない人間の話聞いてもろてありがとうございます。話してたらいろいろ思い出してきました。これもなんかの縁かもしれません。

この風呂屋ね、この十七日で閉めようと思うてます。いやいやなんにでも終わりはあります。もう十分がんばりました。みんないなくなってしまいましたしね。もうこの辺り風呂屋入らなあかん人も少のうなりましたし、一つ角曲がったところにスパ、言うんですか？　スーパー銭湯みたいなんもできましたし。……それにね、あいつが……あいつがもう……この風呂があったかくないと……言うたから……です。もう……必要がなくなったいうことです。

ほんまお疲れさんです。神戸のことこれからも伝えて行ってください。よかったらお風呂浴びて行きますか？　ああ、そうですねお忙しいですもんね。あ、ほんならこれ、そこの洋菓子屋さんが持って来てくれはったマドレーヌです。うちのが好きなんですけど、もう私らそんなぎょうさん食べられへんのです。ひとつをふたりで分けたら十分で。せやから遠慮せんと同僚の方とご一緒にどうぞ。ほんま、お疲れさまでした。気をつけて。お疲れさまでした。……さよなら。

※

寝台列車の北斗星はいささか揺れがひどうございました。

でもその揺れはむしろ懐かしくそれ以外は何もかも変わっていました。野球場、工場、病院、パチンコ屋……窓から見える景色は夜でも煌煌と灯りが輝いています。あの頃に比べて日本は変わったんやなとあらためてですがしみじみ感じました。公共スペースでは中国の若い方たちがトランプゲームをやって盛り上がっています。

東京までは新幹線で行って夜の七時に北斗星で上野を出ました。やっぱり飛行機でなんかあったら、と心配でしたし、自分らが通った道をもう一度辿りたかったというのもありました。横に並んだ寝台ベッドで一緒に寝て、ちょうど目を覚ました頃、列車は青函トンネルを抜けて、朝日に照らされた北海道の大地が広がって行きます。

普通に行けば有珠駅に朝十時には到着するはずでした。それが寝過ごして気がついたら札幌まで来てしもて。乗る電車を迷ってたら夕方になってしまいました。駅に着いたら吹雪いていて前が全然見えませんでした。列車から降りて駅舎に向かうホームを歩くのでさえいっぱいいっぱいで。有珠は無人駅なんです。列車の去っていく音が吹雪の風の音で掻き消えて行ったとき、もう後戻りはできないと思いました。

そうです。そうなんです。この前お話ししてた通り一月十七日、私は風呂屋をたたみました。長いことつるしていたのれんをきれいにたたんで、ようがんばったなと撫でてやりました。

それでどうして五月になって風呂屋を再開したか、ですか？　それで来はったんですか？　いやいやふらっと寄りはったんかなと思うて……。そんなことが記事になったりするんですか？　新聞記者さんの取材というのんは大変ですな。ほんまご苦労様です。なんで再開したか……それはね、あなたが月浦を思い出させてくれたおかげと言えるかもしれません。全部月浦のマーニさんのおかげです。あそこで過ごした真冬の数日間はなんや今考えても、夢か幻みたいな時間でした。

有珠駅は以前と変わらず木造の小さな駅でしたが、夏とは一転してこんもりとした綿のような雪に覆われていました。光源は昔ながらの裸電球がぶら下がっているだけで、それが風に揺れてカタカタと音を鳴らしています。

吹雪がやんで夜までの時間を過ごす場所を、駅舎のストーブの前で思案してました。私たちは月が見られたらそれでよかったんです。はい、泊まるところも決めずに行きました。そしたら、駅の公衆電話のところにちらしが貼ってあったんです。それには、

〝薪ストーブのあるお部屋で、ゆったり過ごしませんか？　カフェ・マーニ〟

と書かれてありました。そこに電話をかけましたら女性が出られて、

「はい、カフェ・マーニです」

澄んだ声が耳に沁みました。私はなんと言うていいかわからずすぐに言葉が続きませんでした。声は続けます。

「もしもし？　あの、風の音が強いようですけど大丈夫ですか？」

確かに寒さで受話器を持つ私の手は震えていました。

「すこしの間だけ、すこしの間だけでいいんですけど寄せてもらってもいいですか？」

「ええ。もろちんお泊まりにならなくてもいいですけど……。いま、どちらですか？」

私は、有珠駅だと告げると女性はこちらの名前を聞いて、お迎えにあがりますからと電話を切りました。

夏なら半分の時間で到着するそうですがなんせ吹雪の夜ですから、四十分ほど経った頃、車のエンジンの音が聞こえたので私はアヤの肩を抱えて駅舎の前まで歩いて行きました。

白い煙のようなぐるぐると吹きすさぶ雪の中、ヘッドライトの灯りが見えて水色のワーゲンバスが私たちの前で停まりました。車から背が高うて、ちょっとあひるのような明るい顔の青年が、慌てて出てきました。

「阪本さん、ですか？　寒かったでしょう。そんな格好じゃ凍えますよ」

確かに私はツイードのコートをはおっただけで、アヤは毛糸の帽子、スカートにタイツ、上は厚手のコートをはおっていました。神戸の冬にはちょうどの着込みやったんですけどあそこでは無謀な格好やったかもしれません。

「突然すみません」

私は、開けてもらった車の扉に向かってなるべく早足でアヤを抱えてふんばりながら歩いたんですけど、雪が深くて足を取られなかなか前に進みませんでした。きっと真冬にこんな格好でやってきた私たち老夫婦をいぶかしい目で見ているんだろうと思うと尚更しっかりと歩かなあかんと思った訳です。

私はふらつき、青年はとっさに手を差し伸べてくれましたが私は悟られないように気張って、大丈夫です、と手をあげました。


この青年は水縞尚と言いました。電話に出たりえという女性とご夫婦でカフェをやっているとのことでした。私が月浦には以前に来たことがあると言うと、ハネムーンですか？　と聞かれたのでそうだと答えました。なるべくなんでもない夫婦を装いました。調子に乗って有月の名前の由来を話したとき、アヤがビー玉のような目をして冷たい顔になったのがわかりました。

「ちょっとしゃべりすぎました」と私はそこで話を終わらせました。肺に痰が絡んだようなアヤの発作の咳が出てきました。私は、背中をさすりながらバックミラーから感じる尚さんの視線を気にしないように、

「もうちょっとや。もうちょっとやで」

と声をかけていました。


月浦の湖は冬でも凍らへんそうです。冷たそうな紺碧の水面が風の向きによって幽かに見えました。それ以外は真っ白な世界の中で四角い煙突から煙が出ているのが見えてきました。その煙はなぜかあったかみを感じ何かを生み出している感じがしたのをよく覚えています。前にもお話しした通り煙突には敏感なんですよ。それが、カフェ・マーニでした。

カフェの中に入るとブランケットを持ったりえさんが待ってました。

薪ストーブが焚かれていて、その前に座らせてもらい、ブランケットを二枚ずつかけてくれました。なんせ、もう体が冷えきっていましたから、足先からちょっとずつ溶けて行くような気がしました。

りえさんは、色の白い人でね、清廉な目をしているというのが第一印象でした。清廉な目というのはどこか鋭利なナイフに似ていますね。

いやいや、夫婦と言ってもいろんな夫婦があることを私らぐらいの年になるとわかります。この二人は、一緒にいるけれど心だけが離れているという感じがちょっと伝わってきました。いや別に仲良くされているんで、どうしてそんなことを思ったのかはわかりませんけど。でもうちのアヤはりえさんを気に入ったようで、ブランケットを受け取ったとき、顔を近づけて、ありがとう、と笑っていました。

「ここの冬はやっぱり寒いでしょう」

尚さんはそう言いながら、薪ストーブに薪を足してくれました。ストーブの上のホーローのケトルがシューシューと音を立て始めたとき、アヤの発作がまた始まりました。アヤは肺を患っていて、胸の痛みがひどく喘息みたいな症状が止まらなくなります。私は、あわてて鞄から薬を出し咳止めと痛み止めを飲ませようとすると尚さんが白湯をすっと出してくれました。優しい男の人やなと思いました。薬を飲んだら、アヤの咳はちょっとおさまりました。

りえさんがほうじ茶をいれてくれて、

「すぐにお食事、用意しますね」

と言うてくれたんですけど、黒板に書いてあるメニューを見て私は困りました。このお店はパンと珈琲とスープのお店で、アヤはパンが苦手やったからです。

「あの……このお店には、白米というかごはんは、ないですか」

とお金はいくらでも払うつもりで相談すると、りえさんが、

「そうですよね。ごはん炊きます」

と台所でごそごそしていました。でもきっとお米が切れてたんでしょう。尚さんが「少しだけ、時間もらえますか？」と、またコートを着て吹雪の中車で出ていきました。知り合いの農家さんにお米をもらいに行ってくれるとのことでした。私は、申し訳ないと思いながらも深々と頭を下げていました。


私らは待っていました。

ただ、月が出るのを待っていたんです。

窓辺の席で私はアヤの手をさすりながら空を見上げていました。外は白い雪が螺旋状にうずまいてひゅうひゅうという音を立てています。アヤの手は外のうすい皮が水分をうしなって乾いた冷たい膜の奥に微かに肉の体温を感じました。その手が少しでも暖まるように私はさすっているつもりでしたが、今から考えると本当は、

「ええやろ。アヤ、もうええやろ」

と説き伏せていたのかもしれません。

私はもう、疲れてました。

だから月が見えたら湖に死にに行こうと考えていたんです。もちろんアヤにはそんなこと話してません。せやけどたぶんアヤはわかっていたと思います。私が、「月が見えんなあ」と言うとアヤは童女のような顔で「うん」と答えていました。


薪ストーブのあったかさとりえさんが出してくれたうすめの珈琲で落ち着いたのか、アヤは椅子でゆるりと寝てしまいました。私は、準備を始めました。革のショルダー鞄から、持ってきたのれんを取り出し広げました。もうお別れやと思うと愛おしくなります。

私たちは今年の夏で金婚式を迎える予定ですがそれまでは到底もたへんと思いました。ちょうど二十五年前の八月二十日、銀婚式のときアヤは私に懐中時計をくれました。時計が刻んでくれた年月だけでも二十五年、その倍近くそばにいるんです。私は「このとき」で止めようと思い立ち、懐中時計のつまみをぐいっと引っ張って、針を止めました。変なもんで針が止まった文字盤を見ると私の中にしっかりとした覚悟が一本の棒になって体に通ったのがわかりました。アヤの一ヶ月分、ぱんぱんに痛み止めが入った薬袋をゴミ箱に投げ捨てました。この病気はひどくアヤを苦しめました。もう解放してやりたいという想いが力に籠ってしまいました。これが、私にとってのささやかな死への儀式でした。

どれくらい時間、経ったんでしょうなあ。雪がすべての音を吸い込んでいつの間にか、風の音も消えていました。アヤが硝子玉のような瞳で窓を見上げていましたので私ものぞいてみると、上弦の月より幾分ぷっくらしている十日夜の月が雲間から浮かんできました。

いよいよだ、と思いました。

「そろそろ……月を、見に行こか。有月も待ってるわ」

そう言うとアヤは静かにうなずきました。

テラスに続く硝子の扉が運良く開きました。途端に氷のように冷たい風が頬を刺します。一歩足を踏み出して、変な言い方ですけど、確実に死ねる、という確信が持てました。アヤの肩を抱いてテラスを滑らないように一歩一歩歩いていきました。

テラスの向こうは雪原がひろがっています。湖のほとりまでそこまで歩いて行こうと決めていました。雪をかきわけることもできず、雪に埋もれて行きながら進んで行きました。

「待ってください。どこいかれるんですか！　そんな格好でどこにも行けませんから！　無茶ですから！」

　りえさんの声が背中から聞こえます。きっと追いかけてくるでしょう。私は聞こえないふりをして進みました。アヤの私の腕を握る手が強くなっていって。ああいうとき、あまり寒さを感じないもんですね。どんどんどんどん、前しか見ていませんでした。車のブレーキの音がしてドアのしまる音がバタンと響いてきました。

「りえさん」という尚さんの声が聞こえたかと思うと、雪原をかきわけてくる音がしました。私は、一度も後ろを振り向かずに、ただ止めないでくれ、見逃してくれ、と願いながらアヤを引きずるように必死で進みました。

「阪本さーん！　阪本さーん！」

　その声はどんどん近づいてきます。

　私たちはひたすら前へ前へと進みました。でも焦っていたんでしょうな。足を一歩前に出して、あ、と思ったときはもうバランスを崩して、アヤと一緒に雪の中に倒れ込みました。

「阪本さん！　大丈夫ですか！」

その声がもう真上から聞こえてきました。情けなくて情けなくて。

私は力なく振り返りました。月の光に照らされたアヤの顔は申し訳なさそうにうっすらと微笑みさえ浮かべているように見えました。


濡れたコートが薪ストーブで乾かされて行くのを見ながら、どうしたらいいのか考えていました。もちろん、死にに行く方法です。

「また、吹雪いて来ましたね」

とりえさんが私にあったかい珈琲を渡してくれました。

それを一口飲み込んだとき、自分の体が初めて冷えきっていることに気づきました。地震の後、最初に飲んだあったかいお味噌汁のことを思い出してましてね。

「一緒になられて何年ですか」

りえさんは、椅子ですやすや寝てしまったアヤにブランケットをかけ直していました。

八十も過ぎて病気の体であの雪道を歩いたんです。無理もありません。

「もう五十年近くになりますかね」

そう言うのがやっとでこれ以上何も話できませんでした。

「五十年ですか。すごい年月ですね。それだけの時間を一緒に重ねてこられたんですねぇ」

りえさんはそう言って吹雪を見つめていました。

人の心というのは一緒にいてもわからんもんです。距離じゃありません。私はりえさんの顔とアヤの顔を交互に見ていました。


りえさんは、鶏肉の固まりを煮てひとつまみの塩をかけていました。丸のまんまのタマネギ、じゃが芋、ニンジンの入った大きなお鍋を重たそうに運んで来て薪ストーブの上に載せました。そして一番上にりえさんはタイムと言っていましたが小さな葉っぱの束を載せて、ポトフを作りますからとそのお鍋がよほど重かったのかため息をついていました。時々アクをとりながらも私たちから目を離さないようにしているのはよくわかりました。

いつの間にか尚さんが炊いている土鍋から蒸気があがっていました。

晩ごはんの用意が着々とできていって、私はむしろどんどん焦って落ち着いていられませんでした。

テーブルの上には、根の野菜のポトフと炊きたてのごはんが並んでいました。ここから起こったのは、今でも信じられへんできごとです。

私たちは、いつものごとく、いただこうと言って手を合わせてそろりとスプーンを手にとりました。アヤは少しはしゃいでいたでしょうか。私の好きなじゃが芋をスプーンに載せて、

「お父さん、じゃが芋」

と見せていましたが、そう言われても私は、微笑み返しましたが食べる気にはなりません。

そのときです。

カウンターから、ぷんとパンが焼けた匂いがしたんです。アヤが、突然振り返りました。カウンターには籠に載った焼きたてのパンが置かれてました。それは白く

柔らかそうなパンで上にうぐいす豆が乗って湯気を上げていました。でも誰の姿も見えません。アヤはそろそろとカウンターに引き寄せられていきます。

「それはパンや。パンは食べられへんやろ。せっかくごはん炊いてくれてはんのに」と連れ戻そうとしたんです。それがね。アヤがあつあつのパンを手に取ってそれはもう嬉しそうに戻ってくるんです。それでびっくりしたんは椅子に座って、そのパンをがぶりとかじったんです。

神戸にはパン屋さんが結構ありますから、結婚したての頃買って帰った事があるんです。そやけど、うちのやつは「なんやパサパサして食べにくい」とちょっと食べて止めてしまいました。それ以来、パンを食べているところを見たことがありません。せやのにいま、目の前のアヤは、パンをかじってはほくほくした顔で噛みしめてるやありませんか。

私は思わず「パン、おいしいんか？」と聞きました。

「おいしい。お豆さんの入ったこのパン、おいしいなあ」

と頬張る姿を見てこれは別人じゃないかと思いました。そうでしょう。信じてもらえないかもしれませんけど、五十年です。五十年の間、嫌いだと食べなかったパンをですよ。私は呆然としていました。

　そしたら、それまで天使のような顔をしていたアヤの顔がふっと厳粛な表情になってこう言うたんです。

「私、明日もこのパン食べたいなあ」

　胸が締め付けられました。アヤは私のことを想うて一緒に死のうとしてくれとったんです。でも本能が、アヤの本能がそれとずっと戦っとったんです。つまり生きたいと叫んでいたんです。嗚呼、と私は立ち上がってしまいました。そしてアヤに背を向けたのです。そのとき、アヤはっきりとこう言いました。

「お父さん、……ごめんなさいね」

　私は、涙があふれてきました。振り返ることなんかできませんでした。「生きたいと思ってごめんなさい。そんなに思い詰めさせるほどに迷惑かけてごめんなさい。私が病気でごめんなさい。いろいろ、いろいろごめんなさい」、そう私には聞こえました。

「わかった。わかった」

　そう言いながら、涙をぬぐい椅子に座り直しました。そしたらアヤが、はい、と食べていたパンをふたつに分けて私にくれました。私はパンを受け取ってそのパンをかじりました。ほんのり甘い豆の味が口の中に広がって、久しぶりに味がしました。

「うまい。うまいなあ」

そう言うとアヤは嬉しそうに微笑んで、手元のパンを自分の口に放り込みました。


夜が深くなっても吹雪はやみませんでした。マーニさんの鉄の看板がきぃきぃと揺れる音が届いてきます。二階の部屋に通されて、疲れたアヤは深い眠りに入っていましたが、私は眠れませんでした。

下から、何かトントンと音が聞こえたので下りて行くと、尚さんがパンの生地をこねてました。その姿は無心の修行僧のように崇高で、すべては荘厳な祈りの儀式のように見えました。そのときは本当にそう見えたんです。私に気づいた尚さんが部屋は寒くないかと気遣いました。寒くないと言いましたら、それはよかったとパンをこねていました。私は思わず近づいてパン生地がだんだんしまっていくのを見ながら、

「パンも、ええですな」

と口にしてしまいました。

「はい、いいです」

と笑いながら尚さんはこねます。パン生地はこねていると発酵してだんだん温度があがり手の中であったかくなって、ある一定の温度になるとふっと緩む瞬間があるそうです。そういう、生き物を相手にしている感覚が好きだと尚さんは説明しながら、私に不意にこんな質問をしてきました。

「カンパニオって言葉があるんです。僕はその言葉が大好きでして。カンパニオ、さて、どんな意味でしょう」

カンパニオが外来語であることはわかりますけど私は、見当もつきません。訳がわからないという顔をしていたんでしょう。

「じゃあヒントです。もともとの語源は、〝パンを分け合う人たち〟のことなんですが、さて、なんでしょう」

ずいぶんと無邪気な顔をして笑っています。パンを分け合う人たち、はて何だろうと考えていると尚さんは手を止めました。

「史生さん、しばらく、ウチで過ごしませんか？　もう少しいてくれたら、ここから満月が見えるんですよ」

それで、私らはマーニさんに何日か泊まることになったんです。

それからの数日間の話は、これまた信じてもらえんかもしれません。

次の日、雪原の中に雪かきされた道ができてて、その中をアコーディオンの楽隊が現れたんです。アコーディオンを抱えた黒い山高帽の紳士を先頭にまるまるとした農家の夫婦、丸い鞄を首からぶら下げたマッシュルームカットの青年、ヒッピーのような髪の長い女性は木のそりをひきながら、アコーディオンの調べに乗せて楽しそうに踊りながらやってきました。それが近くに住む月浦の村人たちだというんです。笑いながら尚さんがその方たちの名前を教えてくれました。彼らが近づいてくるとどこからやって来たのか、羊が顔を出しました。ゾーヴァいう名前やと尚さんが言いました。彼らは自分が持って来た食材を私らに見せてくれました。もちろんその間も踊りながらでしたけど。

ホールの大きなチーズ、産みたての卵と茶色のニワトリが一羽、じゃが芋を両手いっぱい、大きなワイン樽。もうびっくりしましたけど、またそれらをみなさんが魔法のように手際よく料理し出すんです。

りえさんと広川の奥さんは、卵を割って次々にオムレツを作っていきます。

広川のだんなさんは絞めたニワトリの羽をむしって、にんにくをまるごとポンポンと詰めて、オリーブオイルをまんべんなくかけ、ローズマリーをたっぷり載せて焼いていきました。

郵便屋さんは薪ストーブの中にじゃが芋を入れて焼いていき、阿部さんが持って来たラクレットチーズをあぶって溶かし、とろりとかけていきました。

陽子さんは樽のコルクを抜き、けったいな形のグラスに、どばどばと赤ワインを注いでいきました。

アヤは、ローズマリーの匂いを目を瞑って感じていましたが、やっぱりパンの焼き上がる香りが一番嬉しいみたいで、両手をたたいて反応していました。


そうなんです。私たちも初めてパンを作ったんです。尚さんがパン生地を棒状にのばしてくれて、それを編み込んでいきました。アヤは、三つ編みといいながらするすると編んでみせて得意げでしたけど、私はこんなんやったことないですから、ちょっと人にはお見せできない形になってしまったんです。せやのに尚さんに持っていかれてしまいました。

「編みパンが、焼けました」

尚さんの一言にみんながテーブルに集まってきて、大きな籠から編みパンをひとつ取っては隣の人にまわしていきます。私は、自分が焼いたパンがありませんようにと願っていましたけど、陽子さんが手に取って「なんだこれ？」と笑っていました。アヤもひとつとり、半分に割って私にくれましたが、なんとなく恥ずかしくて顔を上げられませんでしたわ。

「乾杯」と陽子さんがグラスを高く掲げると、みんなも乾杯と口々に言って飲みました。

陽子さんが言うてましたけど、乾杯の数だけ人は幸せになれるそうです。ヨーロッパのどこかのことわざらしいんですけど。いいことがあったら乾杯して、何か残念なことがあっても乾杯して、一日の終わりを乾杯でしめくくれたら、それは幸せだ、と。みんな大酒飲みで、笑ってしまいました。私とアヤも少し頂いていい気分になりました。


夜も更けてくると阿部さんがポルカを弾き始めました。ポルカは昔、家の近くの公民館で踊ったことがあります。フォークダンスが流行った時期があったんですよ。

アヤが、すっと私に手を出して誘いました。私は当時から下手でしたので断りたかったんですが、アヤの顔を見たら立ち上がっていました。みんなが手拍子してくれる中、二人で踊っていましたがいつの間にか、広川夫婦もりえさんと尚さんも、陽子さんは郵便屋さんと変なポーズを決めながら踊っていました。アヤはすべてを忘れて踊ることに夢中になっていました。そんなアヤの姿を見るのは久しぶりでしたから、私も夢見心地になった夜でした。

それからというもの、たびたびこの楽隊はやってきましたが、ほとんどはりえさんと尚さんと静かな暮らしをともにしました。雪が降るとりえさんは拾っておいたまつぼっくりや木の実や枝でリースを作ります。木の色とくすんだ緑と赤い実は、アヤの好みの配色だったようです。

晴れた日にりえさんと尚さんは雪だるまを作り、私たちにどんな表情の雪だるまにするか声をかけてくれました。その日その日の自然と戯れている生活がとても楽しそうに見えました。でも一方で、こんな美しい自然の中で一緒にいるのに、どこかりえさんと尚さんの間に心の距離があるように感じるときがあってそれが心配でした。

りえさんは、よく一人になって『月とマーニ』という絵本を読んでいました。その姿はどうしてかとても悲しげで私までなんとはなしに悲しくなっていました。たまにその姿を見かけた尚さんも悲しげに見えて、深い闇をりえさんが抱えているんやないかと想像することもありました。

アヤも絵本『月とマーニ』が気に入ったらしく、ことあるごとに眺めていました。そんなにページ数もない絵本を何度も読み返すのです。りえさんが洗濯物を干してる横でもアヤはにこにこしながら絵本を読んでおりました。月浦では冬には洗濯物を中に干します。

突然アヤが絵本を胸に抱きしめ、

「お月さんがいて、マーニがいる。マーニがいて、お月さんがいる」

と言いました。誰かと誰かが一緒にいて、できることというのんは確かにあります。りえさんはふと手を止めてアヤを見ました。アヤがにっこりとうなずいて、りえさんはそのままじっと何かを考えていました。

その日、粉雪の舞う雪原をりえさんがずんずんと歩いていくのが見えました。真っ白な世界に赤いニット帽が動いていきます。りえさんはまん真ん中で立ち止まり、ひとり、しばらく湖を眺めていました。そして徐に後ろ向きで倒れ込みそのまま雪の上に沈んでいきました。空を見上げたりえさんの唇が小さく笑ったように私には見えたのです。

なんとなく、私たちも少しだけ何かを返すことができたのかもしれないと思った夜、満月の日が来ました。

湖面には月の光でできた道が続きそれを辿ると空には月が輝いていました。カフェのテラスから見上げた月は、大げさかもしれませんが、私たちの人生すべてを照らしてくれたように思います。

「きれいやね」

「ああ、きれいや」

といつまでも月を見ながら、アヤは、

「月はずっとここにあるねぇ。明日も、月浦にあるねぇ……」

と言うてました。

そうです。どんな日もどんな時でも月は存在しています。神戸にもあるんです。

そんな当たり前のことを思いました。

「お父さん」

あらたまって私を呼んで、アヤは一粒の不安もない清々しい顔で、むしろ千年も万年も生きていそうな横顔で、

「……ありがとう」

と言いました。私は目頭が熱くなって目を開けられません。わかっています。ここに連れて来てくれてありがとうではありません。いままでのすべて、についてです。私は、雪崩のように崩れ落ちてむせび泣いてしまいそうなのを必死でこらえました。そうして私は心の中で、それはこっちの台詞や、とつぶやきました。

不思議なことにその朝、私が針を止めたはずの懐中時計が勝手に動き始めたんです。ここを出るときが来た思いました。それで私とアヤは、身支度をしてりえさんと尚さんに、

「帰ります」

と頭を深く下げました。

駅までの道のりで、私は尚さんに出された質問の答えが見つかったと話しました。

「カンパニオの意味わかりましたわ。共にパンを分け合う人々、〝家族〟って意味ちゃいますか？」

「史生さん、おしいです。〝仲間〟って意味なんです。でもそれが、家族の原点だと、僕は思っています」

尚さんはそうしっかりと話されました。その言葉を聞いたときのりえさんの表情は忘れられません。心の奥底の核心部分に触れられたような沈んだような微笑みを見せました。

二人は焼きたてのお豆さんのパンを持たせてくれて私たちがずっと見えなくなるまで見送ってくれました。

私は、二人に感謝しながら、りえさんと尚さんの心と心がゆっくりとつながって行くことを祈らずにはおれませんでした。そうなることを信じていました。

これが、風呂屋をもういちど再開するまでのすべてです。

※

いえいえ、これはちょうどマーニさんにお礼状を出そうと思うて書いてただけです。いやいや、そんなお見せできるものやないです。

たいしたことは書いてませんから、勘弁してください。すみません。

はい、その通りです。アヤはもう、この世にいません。末期の肺がんやったんです。長いこと苦しんだんでもう十分です。

そんな違いますか？　私。前いらしたときはよっぽど思い詰めてたんでしょうかねぇ。

ええ、今は一人で風呂屋をやっております。ここを楽しみにしてくれる人がいるんやったら自分の体が動くうちは続けます。

え？　最後に？

……そうですなあ。

やっぱり……私は、たまたま生き残ったんやと思います。

せやから「もうええやろ」と「まだまだ」の繰り返しですけど、とりあえず今日一日を、大切にがんばろうと思うてます。それだけです。

あ、どうぞこのタオル使ってください。


え？　いいお湯ですか？　よかったです。よう浸かってってください。えー？

なんで最初にプロポーズを断られたかって？

それはね、あいつこう言うてましたー。「タイプじゃなかったから」。ははははは。

結婚してもう何年も経ってからですよ。ほんまおかしな奴ですわ。はははははは。

カラマツのように君を愛す

2006.12.31　夕月夜

想う、ということは苦しみです。

その想いが実るか実らないのかわからないまま、想い続けることは楽なことではないとボクにはわかっていたのです。

だから、ボクはできる限り客観的になるために、日記を書こうと思ったのです。

日記を書くなんてことはきっと小学校の夏休みの宿題以来だろうと思います。

だけど、ボクは決めました。

なんらかの形で苦しみが離れていくまで、ボクはこの日記を書き続けようと思います。


なぜだろうとよく思うのです。

それまで、ボクがりえさんに会ったのはたった三度だけなのです。


一度は、川のほとりの喫茶店。

小さな文房具会社に勤めていたボクは、営業の途中で喫茶店めぐりをするのが趣味でした。幼い頃から粘土細工だけが得意だったボクは文房具会社に入ったのですが、営業まわりはあまり得意ではありませんでした。

主に純喫茶を探しては、そこのブレンドコーヒーとトーストを味わうというのを決まり事にしていて、その日もなんら変わらない行動をとっていました。違っていたのは、そのお店には壁の上の方に窓がついていたということです。一口目を飲みながらボクは店の窓を見上げました。すると、川の向こう岸にビルヂングという言い方がしっくりくる古い建物の窓が見えたのです。その窓枠が西洋建築の少し手が込んだ造りだったのでボクはしばらく眺めていました。古い洋館によくある上げ下げ窓です。

突然、小さく開いたその隙間から真っ白な女の人の手がにゅっと出てきたのです。ボクは驚いて口に含んでいた珈琲を慌てて飲み込んでしまいました。

小さく握られた拳がゆっくりと開きます。その手のひらから雪のような細かい紙片が風に舞い落ちていきました。普通なら窓からゴミをと思うところですが、なぜかその光景は美しく目が離せなかったのです。

最後の一片が手から離れた後、その窓は両手で上に大きく開けられました。

白いブラウスにカーディガンをはおった女性が窓辺に立っていて、その女性は白磁のような顔色をして小筆でさらさらと描いたような細い目と鼻をしていました。女性は窓から顔を出してしばらく空を見上げていました。東京のオフィス街の光景としては少し異質に見えたので、強くボクの記憶に残っています。

二度目は営業でそのビルに行ったときです。そんなことはすっかり忘れていましたし、あの窓が何階かも認識していませんでしたが、六階にある富向陸《とむうりく》デザイン舎さんに入ったとき、そこにいた人がすぐにあの「雪の紙片」の女性だとわかりました。

そのときは営業マンとしてあいさつをしただけでしたが、その女性はとてもおいしい珈琲を入れてくれたのです。どうやら事務の仕事をやっているようでした。ボクはその女性が淡々と仕事をする姿を横目で見ながら商談を終えると、彼女が珈琲カップを下げに来ました。

「とてもおいしかったです」

ボクがそう言うとその女性は愛想のない顔で、「ありがとうございます」と言って立ち去りました。

別の社員の方が「りえさん」と呼んでいたので、その女性の名前が〝りえ〟であることだけわかりました。ボクは帰りに何度か、りえという名前を口にしていました。

そして三度目が今日、モノレールの中でした。

東京のモノレールは夕暮れどき、薄紅色に染まって美しいんですが、工場群を背景に無人で進むあの無機質さがボクはとても苦手でした。ドア付近に立ってぼーっとしていると、反対方向に向かうモノレールと交差しました。

そのときです。

りえさんが立っているのが見えました。モノレールにはとても近い距離ですれ違う場所があるのです。

手には何か本を抱えて、半ば死んでいる人のような生気のない顔をしていました。

ボクは思わず、次の駅で降りて反対側のモノレールに乗りました。

そして見つけたのです。

ホームに裸足で立っているりえさんを。

「りえさん」

ボクは思わず声をかけました。りえさんはゆっくりと振り向いて、間違いなくボクの姿を視界に捉えているのに、その視線はボクを突き抜けて何も見ていないようでした。次の瞬間、りえさんの腕から力が抜けて抱えていた本が地面に落ちました。その音は意外にも大きく、ホームにいた人が全員振り返った気がします。ボクはその本を拾い上げました。

そして、

「月浦で暮らそう」

と言いました。なぜそう言ったのかはわかりません。思わず言葉が出たのです。りえさんが落とした本に目をやると、それは絵本で、『月とマーニ』という題名でした。

2007.1.2　小望月

りえさんから返事が来ました。

今朝早く電話がかかってきたのです。

田舎で一緒に移住生活をするのにいろいろと面倒なことが起こりそうなので、ボクは夫婦ということにさせてください、と言ったのです。ボクからすればいろんな意味でりえさんを守りたかったし、りえさんからすれば、「結婚」に逃げ込んだといってもいいと思います。ボクはそれでもいいと思いました。

だからもちろん籍は入れません。


りえさんは一言、「行きます」と言ってくれました。

2007.1.11　二十三夜

りえさんとボクは最低限の荷物を持って車で出発しました。ボクの水色のワゴンバス。

りえさんの荷物は驚くほど少なくて大きめのボストンバッグひとつでした。

茨城県大洗からフェリーに乗りました。船のエンジンの独特の匂いが、まさに船出という感じがしてボクは少し緊張しました。

寝られないのでもう一度書きます。

ボクはフェリーのスタンダードの二人用の部屋をとりました。この部屋にはシングルベッドが離れてふたつ置いてあります。

りえさんは、寝ているのかどうかわかりません。目を瞑って横になっています。

ボクは、甲板に出て冬の風に吹かれています。

2007.1.14　二十六夜
昼過ぎに着いた苫小牧《とまこまい》の喫茶店でりえさんとボクはお昼を食べました。
りえさんは濃いブレンド珈琲とクロワッサンを食べて、それが気に入ったようでした。
そこから車で二時間弱。月浦という道路標識が見えた頃にはもう夕方になって、水彩画のように水色から続く薄紅色の空には、白く透明で消え入りそうな月が申し訳なさそうに出ていました。

車から降りたりえさんが、マイナス十五度の、顔にするどく突き刺さるような空気を胸いっぱいに吸ったとき、僕の心の中でマッチが擦れて火が灯るのを感じていました。

りえさんが決してここを嫌いじゃないなと悟ったからです。

ボク自身、冷たい空気によってすべてがそぎ落とされていくような感覚が好きでした。りえさんも同じことを考えている、そんなふうに見えました。

あのとき、どうしてりえさんに月浦と言ったのか。

それはボクが北海道の出身だからではありません。

月浦に来たのは、ボクが一度だけ訪れたことがあって、なぜかここの月をりえさんに見せたいと強く思ってしまったからです。

りえさんが持っていた絵本が『月とマーニ』だったから、もしかして〝月〟でつながったのかもしれません。

しばらく見ていると空は瞬く間に漆黒になっていきました。

そこにくっきりと映えた銀色の月。湖には月の光で輝く道ができていました。


ここの月は、光の量が半端じゃありません。


月を見上げているりえさんの横顔が月光に照らされて、はっとするほど美しく、唇が小刻みに震えたかと思うとやがてその細めた目から一粒の涙がこぼれ落ちました。

ボクはそれを見た瞬間、はっきりとりえさんに恋したことを自覚しました。

同時にひとつの確信が生まれ、ここで一緒に暮らすことを心の中で決めたのです。

2007.1.19　朔月

新月の日なので、ちょうど何かをスタートさせるにはいい日です。

今日からりえさんとボクは借家の一軒家で暮らし始めました。

瓦斯は来ていてキッチンはついていましたから、最低限のものを買いに行こうと言うと、りえさんはボストンバッグから、琺瑯のお鍋をひとつ出してきました。

「まだ使えると思います」

その鍋の傷を見て小さい頃からずっと使っているものだとわかりました。

「私、小さい頃からずっと父のためにごはんを作って来たんです。母が早くにいなくなってしまったので」

聞いたわけではないのですが、りえさんのご両親はもうこの世にはいない予感がしました。本当のところはどうなのか、ボクにはわかりません。


近くの農家にあいさつに行くと、じゃが芋をたくさんくれました。

広川さんと言って、二人とも驚くほど色が白く奥さんはまるまるとしてなんだかロシアのおばちゃんみたいでした。赤ちゃんを四人背負っていたので、もしかしたらボクたちよりも若いのかもしれませんし、実際よくわかりませんでした。

「まあがんばって」

「でも珍しいよねえ、わざわざこんな寒い冬に来るなんてさ」

「まだ三十代なら大丈夫かもね」

と口々に言って、

「ところで暖はどうとるの？」

と言われたのでルンペンストーブと少しの薪を買ったと言いました。

そしたら、小屋を壊したときの廃材など燃やすものをいろいろくれました。冬に薪はなかなか手に入らず少しの薪では冬は越せないのだそうです。

春になって農作業を手伝ってくれたら賃料払うよとも言ってくれました。

そして「その頃は通りで週一回はマルシェやってるから来るといいよ。いろんなお店が出て楽しいヨ」と笑うと二人とも目が無くなりました。りえさんは、薄い唇を少しだけ緩めていました。

とりあえず、東京で貯めたお金を使いながら細々と生活を始めようと思っています。

ひとつひとつ。なんだかボクは空っぽになったパソコンに全く新しいソフトやアドレス帳、新しい音楽をインストールする気分です。何もかもが再スタート、いま、必要なぶんだけ。

りえさんは、鉄琴を持って来ていたようです。夜、それをキンキンと鳴らしていました。その鉄琴は両手に乗ってしまうほど小さなものです。

りえさん、おやすみなさい。

2007.1.20　土曜日

朝起きると、家の前にスカーフに包まれた硝子のコップやお皿がいくつも置いてありました。

誰からなのかわかりませんでしたが、〝どうぞ〟というお手紙がついていましたので、りえさんはそれを大層喜んで、蛇口が凍ってわずかずつしか出ない水を並々と注ぎ込み、嬉しそうに一気に飲んで、冷たい、と肩をすくめていました。

少しずつ暮らしができているような気もします。

今日はりえさんがじゃが芋のスープを作ってくれました。

ボクがおかわりしていると、

「居候、三杯目にはそっと出し」

と言って笑い出しました。

「父が、よくそう言っておかわりして笑っていました」


じゃが芋の味が沁み渡りました。

「きっとパンが合うね」

と最後にりえさんが言いました。


明日、パンの作り方を調べてみようと思います。

2007.1.24 夕月夜

硝子のコップの犯人？　がわかりました。

今朝は霜が降りたせいか、「カラマツの木を下から見上げると、葉っぱの氷ができていた」とりえさんが嬉しそうに朝の散歩から帰ってきました。

その後、水の駅にキャンドルを買いに行こうということになりました。この家にはまだ電気が通っていないのです。

外はお天気がよく、太陽の光で雪がキラキラ輝いています。ボクとりえさんは湖のほとり、そこから続く一本の急な坂道を上っていました。

すると、

「あなたたち、キャンドル、探してるんでしょ？」

しわがれた笑い声が聞こえて来ました。周りを見渡すと、赤い建物の一番上、顔を出すのが精一杯の小さな窓から女性がのぞいてました。人なつこそうな目と好奇心に満ちた唇、表情全体に奔放さがにじみ出ていました。

この女性は陽子さんという硝子のアーティストで、十年前から月浦に住んでいるそうです。工房と住居を兼ねた建物の中にはオリジナリティに富んだ硝子の作品が壁一面に並んでいて、陽子さんは一輪挿しを手にとり、じっと見ては眉をひそめ「カレットだわ」とその辺に置いてあったバケツに放り棄てました。あまりに音が大きかったのでりえさんはびっくりしていましたが、カレットというのは硝子屑にするということだと聞いて、ぷっと吹き出していました。

奥には硝子を溶かす炉があって煌煌と火が燃えています。

ふと見ると壁にかけられた黒板の前でりえさんが立ち止まっていました。陽子さんの、きっと信条みたいなものなんでしょう、そこには白墨で、

『スキナトキニ　スキナコトヲ』と記されていました。

二階へ上り、そこからさらに小さな細い梯子をどんどん上って行き、りえさんとボクはほこりにまみれながら屋根裏部屋にたどり着きました。そこには、二メートルほどある布製のウサギの人形、カギ編みで作られたキノコ型のチェアー、エッフエル塔のスノードーム、いろんな表情のマリア像、ハンガリーの刺繍が入ったテーブルクロス……ハーレーの革ジャンなど、陽子さんが長い時間をかけて集めた〝スキナモノ〟が詰まっていました。

「私さ、耳だけはいいのよね～昔から」

そう言いながら陽子さんは、積んであるたくさんの革のトランクの中からひとつを開けて、長いものや短いもの、太いものに細いもの、いろんな色のものと、たくさんの種類のキャンドルを出してくれました。中にはトルコのランプもありました。そして、ささっと工房ですべてのキャンドルにぴったり合う硝子のホルダーを作ってくれました。

陽子さんは最後に言いました。

「グラスは気に入った？」

そして手近にあった紙に『どうぞ』と書きました。確かに見覚えのある字です。そうなんです。犯人は陽子さんだったのです。陽子さんは大きな口で笑い、その様子はまるでサイケなロック歌手みたいでした。

りえさんは帰りに「陽子さんは昔読んだ本に出て来たコロポックルみたいだ」と笑っていました。コロポックルはアイヌの妖精です。

今日のりえさんの口角は終始上がっていたような気がします。

2007.2.4　立待月

最初に生える木。

カラマツの木は、どんな土地にも根付きやすいことから「先駆樹」と言われて、山火事などで消滅した森に、最初に生える木だそうです。

けれど、環境が整うとモミなどの樹木に取って代わられ森からほとんどのカラマツが姿を消してしまうと聞いたことがあります。

月浦には針葉樹のカラマツが道沿いにまた湖畔沿いにずっと並んでいます。これが月浦の独特の風景を生んでいると思っているのですが、ボク自身カラマツを見るとなんだか自分のようだと自嘲気味に思えてくるのです。

どんな環境や人間との間でもそこそこ馴染めてしまう。

けれど自分が深くずっと誰かの心に根付いていけるかどうかという自信はありません。

りえさんが、確信を持って自分と結婚したわけではないことははっきりしているのです。

東京で、振り返る不安そうなりえさんの顔を見たとき、このままこの人をここにいさせてはいけない、ここではないどこかへ連れ出さなければ、と思ったのです。

だから思わず、普段なら言えないような言葉をかけてしまったのですから。


でも本当は、ボク自身が何かから逃げたのかもしれない、と思います。

りえさんの心に深く根付きたいというのも本心、りえさんを連れ出せるのは自分しかいないというのも本心。

だけどりえさんがボクの気持ちを一〇〇%受け入れていると思うほどボクは鈍感ではなかったし、自分も好きな人との暮らしがすべての心の充足になるとも思いませんでした。

ただ、自分自身、東京での自分の居場所に違和感を覚えていました。

最初は快適に思えた会社も、気ままな一人暮らしの部屋でさえ何かに浸食されていくような感覚がぬぐえなかったのです。

だからボクは、カラマツの続く並木道の散歩が、りえさんとは違って好きではなかったのです。


夕べからの大雪で、今朝は白く染まったカラマツの並木がどこまでも続いています。

カラマツの木は針葉樹ですがマツの中では珍しく、一切の葉が落ちる木なのです。

りえさんは「散歩する」と言ってひとりで出かけて行きました。


りえさんは、ひたすら歩くことを好みました。

土の上草の上、森の中をどこまでも歩いて、たまに空を見上げて木の枝から細い線のような太陽の光がまぶしく差し込んでいるのを見つめるのです。

りえさんは木の幹に体をゆだねて目を瞑る、そういうことをよくしていました。

「こうしていると、今まで聞いたことのなかった鳥の鳴き声、山から流れて来た水のせせらぎの音が体の中にどこまでも広がるんです」

ボクに言ったのか独り言なのかわからないような小さな声で、そんなことを言いました。


りえさんは、ただの一度もボクに『月とマーニ』の絵本を見せてくれたことはありません。

今日の月は　立待月。満月が欠けています。

2007.5.8　十四夜

『ここにしよう』

とりえさんが言ったのです。

タンポポがたくさん咲いて、あたり一面が黄色になった草原がありました。

その草原からは湖が一望できて、風の音と小さな水路があるのか、微かにせせらぎの音が聞こえてきました。

そこはなだらかな山のちょうど中腹といった場所で　見上げると頂上には木が三本並んでいました。

五月は風と緑がとても美しい季節で、その気持ちよさと言ったら空を飛びまわれるんじゃないかと思うほどです。

りえさんとボクは、自転車に乗ってアスパラガスを摘みに行く途中でした。湖畔沿いの緑のトンネルをくぐり、坂を上ったところにこの草原を見つけたのです。

ふわっと大きな風が巻き起こりました。

そのとき、りえさんが言ったのです。

「ここにしよう。この景色を見てもらおう」

りえさんはもともとデザイン事務所で働いていました（デザイナーではなかったようですが）から、さらさらと器用にイメージ画を描き始めました。天然の木で造られた四角い建物に三角の屋根、湖向けに大きな窓が切ってあるデザインでした。

そこで珈琲を飲んでもらう。

それがりえさんが望んだ最初の、〝やりたいこと〟でした。

ボクはなんだか子供のようにウキウキしました。

そしてりえさんのいれる珈琲に合うパンを作ってみよう、そう決意したのです。
りえさんとボクは、月浦の丘、そこに一件のカフェを造ることにしました。
今日は満月の前夜、幾望の日です。

2008.4.6　新月の日

『cafe máni（マーニ）』、いい名前だと思いました。
もちろん名前はりえさんがつけました。
今日はいよいよ開店の日です。

りえさんのイメージ通りの建物を地元の棟梁さんとボクとで一緒に建てたら、一年もかかってしまいました。この吹き抜け二階建てのシンプルな建物が気に入っています。二階がりえさんとボクの住処です。

黒い鉄の看板には、『cafe máni』と三日月が刳り貫かれてあります。りえさんによるとマーニは月の神の名前だそうです。

夜明け前からパンを焼いて、入り口付近にはカンパーニュとクロワッサン、山型パンが並びました。パンの焼ける香ばしい匂いは格別です。

玄関の扉を開けると、左手にカウンター席があって奥のスペースは床が一段高くなっています。

そして、目の前に大きな窓が飛び込んできます。碧の湖、水色の空、緑の草原が一枚の絵のように切り取られています。たぶん、これがマーニの一番のごちそうです。

カウンターのキッチンに立つと目の前は全部硝子の窓ですから、草原の景色が広がります。そこを開けると木のテラスに続き、テラスは草原に続いて、小さな小径から入ってくることもできるようにしました。

りえさんがカウンターの中のキッチンで、ガリガリと珈琲ミルで豆を挽きます。

広川さん夫婦がお花を手にやってきました。

「珈琲ください」

「ふたあつね」

りえさんの唇が「いらっしゃいませ」と小さく動きました。

この瞬間がボクにとって〝開店の瞬間〟でした。

もちろんその後、広川さんのお花にぴったりな花瓶を陽子さんが持って来て、珈琲とカンパーニュを食べて行ったのは言うまでもありません。

2008.6.21　居待月

夏至なので、キャンドルだけで過ごす時間をもうけてみました。

一番食べ物がおいしそうに見える数だけ並べてみます。

すると、そんな多くは必要ないことがわかりました。

毎朝、珈琲とパンを食べに来る郵便屋さんと阿部さんが今日は夜ごはんを食べに来ました。郵便屋さんは初めて配達しに来てくれたとき、パンを食べて以来毎朝来ては食べてくれるようになりました。天然酵母の甘い香りと弾力を気に入ってくれたようです。郵便屋さんは小さな帽子を頭にちょこんと乗せて、革の鞄を首からぶら下げ丸いおかっぱの髪型をしているので誰でもすぐに覚えます。

阿部さんも、五月に初めて来てから毎日来てくれます。深煎りの珈琲がお好きなようで、それに合う季節のパンを食べてはバスに乗ってどこかに出かけて行くのですが何をしているのか……、ただいつも大きな革のトランクを提げているのです。いまでは、阿部さんの郵便物はこの店での手渡しとなっています。

広川さんが育てた白色のとうきびを茹でたもの、丸いズッキーニをにんにくとオリーブオイルでグリルしたもの、ゆで卵の醤油漬けは八角のスパイスが効いていて……そんな素敵な料理をりえさんが作ってくれました。

りえさんの料理は一貫しています。

大切に育てられた食材を使い、大切に料理する。大切に作られた道具を大切に使う。

だからりえさんは珈琲カップをたくさん買っていません。

必要なものだけをじっくり時間をかけて選びぬいて、それを大切にながくながく愛着をもって使っていく。りえさんの服、持ち物、道具を見ているとその価値観が伝わってきます。そして、モノに対し、なんにでも使えるという効率性は一切求めないのです。珈琲をドリップするためだけのポット……それだけのために作られた道具を愛しているようです。

ここまでの丁寧さと愛情とこだわりは、スピーディーな事務処理能力を求められる会社組織では、冷ややかな目で見られていたのではないかとボクは想像します。

ボクも道産の小麦粉と天然酵母で、今日はライ麦パンを焼いてみました。

二人が帰った後ボクは窓の外からカフェを見ました。いくつもの揺れるキャンドルの中で、りえさんは鉄琴をたたいていました。キンキンキン。コンキンキンキン。キンコンキン。鉄琴の音が響き渡り、その光景はほんとに幻想的でした。

ボクは、りえさんのおかげで東京での生活とは全然違う時間を過ごしていることに心から感謝しました。

2008.7.31　十六夜

麦秋とはうまく言ったものです。

近くの麦畑が一面、黄金に輝いていました。風にさわさわと麦の穂が揺れているのを見ていると、ほんとにおいしいパンを作ろうと思うのです。

美しいものに感動します。

2008.9.22　弓張月

秋の日の朝の光はとても柔らかいです。

マーニでは朝から珈琲をドリップする湯気が立ち上っていました。

今日はりえさんが秋の日に合うブレンドの配合を考えているのです。


「楽しいシーンを思い浮かべながら考えるとおいしくなるんです」

と含み笑いをしながらカーディガンをはおったりえさんが言っていました。


ブラームスの交響曲第三番を聞きながら、同じ条件でいれたいろんな種類の珈琲をビーカーに入れて並べていきます。

りえさんは、ひとつひとつスプーンですくって味わってみます。

酸味が強い珈琲、苦みが強い珈琲、香りが強い珈琲。それぞれにいろんな個性があります。ボクは珈琲をいれることはできませんが、味わうのは自称プロです。


りえさんはもう一度記憶するように味わいながら、少しずつコップにブレンドしていきます。ちょっと酸味が強すぎる、もっと甘みが欲しい……ぶつぶつと繰り返し繰り返し少しずつ混ぜてりえさんの好みの味が完成されていきます。

りえさんがいれた秋のブレンドの最初の一杯をボクは飲むことができたんです。この瞬間ボクはこの上なく幸せでした。

2008.10.12 小望月

ボクは、早朝のまだ生き物たちが目覚めていない時間に、しんと静まり返った空気の中で、ひたすらパンをこねているのが好きです。たった一人で、もくもくとこねていると一切合切が自分の体からすべり落ちていき、無心になれるのです。これはおそらく小学生の頃に経験した粘土細工の感覚に似ているなと思います。手に伝わってくる感触。自由自在に自分の手の中でいろんな形が生まれていき、酵母の力で膨らんで窯で焼くと色が変わります。全然違う香りが生まれます。自分が作ったものに誰かがお金を払って買ってくれる。そして、そのお金で生活する。何に支払われたお金なのかがひとつひとつはっきりするところが、サラリーマンとは違ってボクにはとてもしっくりとくるのです。

初めて作ったパンは名前が付けられない代物でした。

初めてパン作りが楽しいと思ったのは、カンパーニュを作ったときじゃないかと思います。

だからりえさんが、

「クリームチーズを乗せましょう」

とスライスしたカンパーニュをぱくぱくと二切れ食べてくれたとき、この瞬間を忘れてはいけないと素直に思いました。ボクは、ずっとこの人のためにパンを焼きます。


今日は綿に包まれたような小さな虫がたくさん飛んでいました。二週間後には初雪でしょう。この辺りではこの虫を雪虫と呼んでいます。

2009.4.2　弓張月

長い冬の間、外で洗濯物が干せませんでした。

今日は気温が上がって晴れているので、久しぶりに外で洗濯を干すことにしました。

草原に二本の杭を立てて、麻ひもをかけて洗濯物を干していきます。白いシーツがふわっと広がります。こういう大きなものを外に干せると気持ちも晴れやかになります。あけびの大きな籠から、りえさんのエプロンを取り出します。ボクはいつもそっとポケットを探ります。

すると、何回かに一度は、ポケットに小銭が残っていることがあります。今日は四百円。これは、ボクのへそくりとして頂くことにしています。

たまに視線を感じてハッとしたりしてしまうのですが、大概は羊のゾーヴァです。

2009.8.9 夕月

泊まり客のカオリさんとトキオくんが今朝バイクで帰っていきました。トキオくんからすると「出発」になります。ボクはあの二人は結構いい組み合わせのような気がします。ボクも札幌にいる頃、東京に出たいと思っていましたから、トキオくんの気持ちはとてもよくわかります。一度手放すことで見えてくることもありますが。
泊まりのお客さんがいなくなると、カフェ・マーニは本来の静けさを取り戻します。

今夜は三日月の次の日ですから四日月とでも言うんでしょうか。
それでも、月光で何もかもが輝いていて、草原も明るくさえ感じてしまいます。
ただ、光が多ければ多いほど、その陰も強いのです。

テラスにひとり、風に吹かれているりえさんが見えました。
今夜のりえさんの横顔は、月影に入ってしまったのか陶器のように冷たく、銀色の翳りさえ見えるようでした。

遠くを見つめているのか、そもそも何も見ていないのか。ボクにはわかりません。
こんな日は声をかけようかどうしようか、迷います。でも結局いつも話しかけてしまうのです。ボクにも不安という感情があるんです。

「トキオくん、ちゃんと東京まで運転できるかなあ」

「大丈夫だよ。ボクだってできたんだから」

「私たちはフェリーだったからね」

とりえさんは笑ってみせました。ボクは、その笑顔がとても痛ましく思えて心がぎゅっと小さくなりました。

「りえさん……ここで、無理して笑うことないよ」

後ろ姿しか見えてないボクには、りえさんがどんな表情なのか見えません。

ボクは思い切って言いました。

「ボクの、ほしいものは、ひとつだけですから」

「なに、ですか」

りえさんは振り返らずに言いました。

「秘密です」

結局、ボクは続きを言えませんでした。

りえさんはその後もずっと月を見ていました。

ボクは部屋に戻って日記を書いています。

水のせせらぎの音だけがとても大きく聞こえています。

2009.10.16　有明月

今日は栗のパンがうまく焼けました。栗を渋皮ごと焼いて、生地の中に栗のあんと一緒に丸ごとつめ込んで焼いてみました。クープを入れて焼くとその割れ目から栗の頭がぴょんと出ておもしろいなと思います。


そう言えば今日、未久ちゃんという女の子がカフェに来ました。りえさんにちょっと似ていると思いました。いろんなものを真摯な目で見ている印象が強いからかもしれません。きっとりえさんの子供の頃はこんなだっただろうと想像させました。

父親と二人暮らしというところも同じです。

未久ちゃんはパパがそばにいること、パパも隣に未久ちゃんがいることを、忘れてしまっているように感じました。

りえさんは、今夜もひとり、『月とマーニ』を眺めていました。

その姿を見るといつもりえさんがどこかに行ってしまう、そんな風な焦りがこみ上げてきます。

まるでりえさんを『月とマーニ』に奪われてしまうという錯覚に襲われるのです。

いい年をした男が、たかだか一冊の絵本を相手に何を言ってるんだというのはわかります。

でも、きっとりえさんの心はずっとこの絵本の中にあるのです。

深いブルーの表紙のあの絵本の中に。


今日はなんだか変な一日です。ボクがきっとおかしいのです。

2009.10.24 弓張月

今日りえさんが未久ちゃんと未久ちゃんのパパのために作ったかぼちゃのスープは、素晴らしかったです。

りえさんの「このスープを食べてもらいたい」という想いが、カフェの中を巡っていくのがわかりました。りえさんの作ったスープが阿部さんにアコーディオンを弾かせて、その調べで未久ちゃんと未久ちゃんのパパの関係が変わっていきました。

りえさんは一言ボクにいいました。

「阿部さんがいてくれて、よかった」

そうです。りえさんとボクだけでなんとかしようとするのは、傲慢であったかもしれません。

すべてのかたづけを終えて誰もいなくなったカフェのカウンターに、りえさんは座っていました。足をぶらぶらとさせながら、肘をついてカフェを、じっと見ています。

「突然真っ暗に思えて、自分以外には誰もいないんじゃないか、なんてそんな風に思うことってあったけど。……でもほんとは誰かいるのかもしれない。だからみんな、泣いたり、話しかけたり、作ったり、音を奏でたりするのかもしれない」

りえさんはカウンターの木目を愛おしそうにさすって頰を近づけました。

「阿部さんの演奏……いい演奏だったね」

ボクはあったかい珈琲をいれてみました。りえさんのようにうまくはいれられないけど、どうしてだか今夜はボクがいれてみたくなったのです。

りえさんは、ありがと、と受け取って一口飲みました。

「いい薫りです」

そうして、もう一口飲みました。ボクも珈琲を飲みながら店内を見回しました。

「りえさんが集めたもの、りえさんが作ってるものに皆が集まって来てくれてるんだよ、ボクはそれでいい」

胡桃の木で出来た褐色のテーブルと椅子、白樺でできた木の食器。陽子さんの作ってくれたグラスたち。黒のバブーシュ、白や黄色の琺瑯のお鍋。格子のデザインが特徴的な木のブレッドボード。ボクの麻のエプロン。

絵本一冊にしてもそうです。ミヒャエル・ゾーヴァの『魔笛』、佐々木マキの『やっぱりおおかみ』やミシェル・レミューの『永い夜』、バージニア・リー・バートンの『ちいさいおうち』。この店に置いてあるすべてのものが、りえさんが時間をかけて選んできたものです。そうです。もうここは、りえさんとボクの空間ではなく、りえさんの空間なのです。ボクは〝先駆者〟ですから。

「きっと好きなものを集めると、好きな人が集まってくるんだね」

りえさんはこうも言いました。

「私にもできることあるのかな」

ボクは、あるよ、と一生懸命伝えました。

「いろんなことが、まわりまわってるんだよ、きっと」

夜は冷えて来たので、今年初めて薪ストーブに火を入れました。

2009.10.29　宵月

「背伸びもせず、萎縮もせず、自分の信じたものを作り続けていきたい」

夜中にりえさんがボクに言いに来ました。

ボクは「うん」とだけ答えるとりえさんはベッドに戻っていきました。

2009.11.16　晦日月

とうとうボクは、やってしまいました。

りえさんが一階でクロスを縫い終えて、「おやすみなさい」と二階のベッドに入って行きました。

ボクは同じ二階の、離れた場所の机のあるスペースで日記を書こうとしていました。

りえさんがまぶしくないようにスタンドの電気を極力下に向けました。

りえさんの寝息がすーすーと聞こえてきます。

どうしてなのか。魔がさしたのか。夢中になってボクは棚の中を探し始めました。

たくさんの絵本。たくさんの小説。裁縫箱。違います。これも違う。違います。

今から考えると狂っているように探していました。

そしてボクはとうとう見つけたのです。
深い青色の表紙。
絵本の『月とマーニ』です。

ボクは、息を殺してページをめくりました。

とてもいいお話でした。
りえさんが、小さい頃からこのお話が大好きだったのがよくわかります。

そしてボクは涙があふれて止まりませんでした。
そうです。
りえさんはりえさんにとっての《マーニ》を探しているんです。
それは運命の人を探しているとかそういうレベルの話ではありません。
自分自身にまず、なんらかの能力があること。
そして相手にもなんらかの能力があること。

そして二人が共にいることで、それが誰かの役に立ったり誰かを喜ばせたりできるのです。

けっして《マーニ》だけを求めているのではありません。

自分も《月》になれないと《マーニ》は出てこないのです。

それは、自己を肯定できないと絶対に手に入りません。ボクは、あまりのりえさんの悲しみの深さに震えながら泣きました。

そう考えれば、数々のりえさんの言葉が腑に落ちます。

ずっとボクがりえさんに受け入れられないだけだと思っていましたが、それは浅はかでした。

ボクは無力です。

ただ、そばにいるだけしかできません。

もし、神様のようなものがいるのだとしたら、どうかりえさんの心にできてしまった黒い扉が開きますように。

2009.11.20　夕月夜

月浦は今日はしとしと、雨が降っています。
少し気温が上がったからでしょう。
自然に囲まれて暮らしていると、雨の日は本を読みたくなってくるから不思議です。
晴耕雨読とはよくいったものです。
カフェが繭にくるまれたように、霧が広がっています。
りえさんは、濃く入れた珈琲を飲んでいました。

2010.1.29　十五夜

りえさんの中で何かが変わったのをはっきりと感じました。

泊まりに来ているアヤさんと二階にりえさんがいたのは知っていました。たぶん洗濯物を干していたと思います。

りえさんが、突然ニット帽をかぶり、上着を着て出て行きました。そして雪で埋もれた草原の中を、雪を踏みしめながら駆けて行きます。

そして空を見上げて雪の中に背中から倒れて見えなくなりました。

小さな雪が降り続いています。

ボクはカウンターの奥からその姿をずっと見ていました。なんとなく、気持ち良さそうだなとのんきに思いながら、パンのたねをこねていました。

しばらくして帰って来たりえさんの顔を見て、力強さにあふれている、そう思いました。

今夜は満月です。

史生さんとアヤさんも外で同じ月を見上げています。

2010.1.30　十六夜

今朝、史生さんとアヤさんがカウンターにいるボクたちに「帰ります」と言いました。

りえさんは、ほんとに嬉しそうに微笑んで「よかった」とうなずいていました。史生さんたちがこれからも生きて行くのだと伝わったからです。ボクも心からほっとしました。

そして、焼き立ての豆の白パンをたくさん紙袋に用意しました。

「史生さんとアヤさん、ずっと二人で一緒に、みんなにあったかいお風呂を作って来たんだね。私たちも二人から、いっぱいもらったね」

りえさんはそう言いながらあったかい珈琲を魔法瓶にいれて、卵焼きやゆでたじゃが芋バターのお弁当を作りました。

りえさんが初めて「私たち」と言ってくれたことをきちんとここに記しておきたいと思います。

史生さんとアヤさんを有珠駅まで送りに行ったときのことです。

ボクは《カンパニオ》の意味がなんなのか、そんなクイズを史生さんに出していました。

カンパニオはラテン語で《仲間》という意味なんですが、史生さんは〝パンを分け合う人々〟は《家族》だと言いました。ボクはそれも正解だと思っています。《仲間》こそが《家族の原点》だと思うのです。


りえさんとボクは、史生さんとアヤさんが乗った列車が見えなくなるまでずっとホームにいました。雪原を走る列車はゆっくりと走って行きますから、小さくなってやがて消えてなくなるまでずいぶん時間がありました。


すっかり見えなくなると、りえさんは二、三歩前に歩いてこう言ったのです。

「ずっと、ずっと見てて。私のこと」

いつもは閉じているりえさんの背中が、このときとても開いているように見えました。

ボクは、もちろん「うん」と答えました。

「水縞くんのことも見てるから」

と振り返らずに言ったので、単純にとても嬉しかったからでしょう、ボクはさっきより少し大きな声で「うん」とうなずきました。

これがりえさんからのプロポーズだったとボクは勝手に思っています。


りえさんは唇にかかったマフラーをずらして大きく息を吸いました。

「水縞くん。私、ずっと大切に思っていることをちゃんと大切にして生きていたかった。でもそのうち大切なものがわからなくなってしまって。だからね、水縞くん、ありがとう。私をここに連れて来てくれて」

そう言ってくれました。ボクはなんだか照れくさくなって、

「頼んだのはこっちだよ」

と言いました。


そうしてボクは一歩一歩踏みしめながら、りえさんの横に並んで、

「お家に帰ろう」

と言いました。これはボクからの精一杯のプロポーズの答えでした。

りえさんは、ボクの手を見て、するっと自分の手をすべり込ませボクの手を握りました。

このとき、ボクの魂の奥底がほんとうにあったかくなったのをけっして忘れません。

2010.5.26　十三夜

神戸から手紙が届きました。
それは一月も終わりの真冬に来てくれた阪本史生さんからのものでした。
りえさんは、ボクが手紙を読むと、ただ、静かに黙って泣いていました。
その手紙にはアヤさんの死が、綴られてありました。

ボクはこの手紙をこれから何度でも読もうと思います。
だから、ここに貼っておきたいと思います。

りえさん、尚さん、冬の頃は、いろいろお世話になりました。
アヤは、この春、亡くなりました。
マーニさんに行ったとき、アヤにはもう残された命が短くて、私は月浦でそのまま一緒に死ねるものなら死のう、と考えていました。
だけどそれは大変傲慢でした。
アヤが、前は食べなかったパンをおいしそうに食べている姿を見て、
私は恥ずかしながら、人間は最後の最後まで、変化し続けることを、
初めて、気づいたのです。
アヤは、懸命に生きて、そして死んでいきました。
それをすべて、私は見届けることができたのです。

いま、私は、風呂屋の番台にもう一度座って、マーニさんのこと、尚さんが焼いた美味しいパンのこと、りえさんのスープ、思い出しています。

あそこには、自分たちの信じることを、心を込めてやっていく、そんな地に足の着いた人間らしい暮らしが、ありました。

カンパニオ、仲間と一緒に。

それにこそ、しあわせがあるような気がいたします。

どうぞいつまでもお二人が健やかなる精神の中で、楽しい一瞬を重ねられますようお祈り申し上げます。

水縞りえ様
水縞尚様

暖かい春の午後　阪本史生

りえさんはボクの髪を切ってくれました。
ボクは豆の白パンをいくつもいくつも焼きました。
豆はりえさんが煮てくれたものです。
この日アズマイチゲの白い花が咲き誇りました。

ボクらは初めてカフェの一番奥の席、大きな窓の前にテーブルをひとつだけにして、向かい合ってごはんを食べました。
りえさんがグリーンアスパラとホワイトアスパラのコンソメスープ、薄紅色と黄色のじゃが芋の重ね揚げを作ってくれました。とても春らしい彩りです。

ボクは豆の白パンを手に取り、ゆっくりふたつに分けました。そしてひとつをりえさんに、ひとつを自分のお皿に載せて、ボクたちは食べ始めました。

金色の柔らかな斜光がテーブルとりえさんに差し込んでいます。

少し食べた頃、りえさんの手が止まりました。

「水縞くん」

りえさんがボクを呼びます。

ボクは顔を上げてハッとしました。

りえさんの目に、肌に、唇に、髪に、反射した光が眩しいばかりに輝いていました。

りえさんの唇がゆっくり動きます。

「水縞くん、見つけたよ」

最初、ボクにはなんのことかわかりませんでした。

「見つけた。私の《マーニ》」

その意味を理解したとき、ボクの体のすべてからとめどなく涙があふれてきました。

りえさんは、見つけたのです。
自分を。

りえさんはどこまでも高貴な姿をしていました。

ボクハキミヲアイス。

キミヲアイスキミヲアイスキミヲアイス。
何度でも書きます。
キミヲアイスキミヲアイス。

君を愛す。

ボクが最初に日記を書き始めた理由、それは〝苦しみ〟だと書きました。でもそうではありませんでした。
冷静に考えるとたぶんあのとき、自分がいなければ不可能であり、自分だけがその能力を持っている、つまり大げさに言うと自分が生きる意味をボクはどこかで強烈に探していたんだと思います。

もうボクは日記を書かないと思います。

この後、ボクたちがどんな日々を送るのかそれはボクにもわかりません。
それがしあわせというものなのか、それがふしあわせというものなのか。
いずれにせよ、いま、ボクは生きていることを実感しています。

カラマツでいいのです。それこそがボクのこの世に生まれて来た役割であり、道なのだと今は思えます。

十三夜に曇りなし。　水縞尚

エピローグ

拝啓

夏木立の緑濃く、木漏れ日も輝く季節になりました。

随分と時間が経ってしまいましたが、その後いかがお過ごしですか？

私ももうすぐ四十路を迎えます。私の記憶にある貴方様よりも年齢を重ねてしまいました。

信じられないと思いますが、いま私は北海道の月浦という所でパンと珈琲とお料理を出すカフェを営んでいます。貴方様に美味しい珈琲のいれ方を教わっていて本当によかったと感謝しています。

もうひとつ信じられないことをお伝えします。実は、二度しか会ったことのない男性と一緒に始めたんですよ。

突然、月浦で暮らそうと言われたときは正直戸惑いましたが、彼が私の大好きな雑貨店と同じ名前だったので、なんとなく受けてしまいました。

水縞尚さん、いまでは私にとってかけがえのない人です。

小さい町だけれど、ゆっくりと時間が流れていて周りではおいしい野菜がたくさん穫れます。もうすぐ、貴方様が大好きだったミニトマトの季節がやってきます。

ここに住所を書いておきます。
いつでもお越しください。

敬具

北海道虻田郡洞爺湖町月浦1678番地　カフェ・マーニ

水縞りえ

岸田りか様

本書は書き下ろしです。

JASRAC 出 1114576-101

非売品

とマーニ

970年 10月　第1刷発行

974年　3月　第7刷発行

者　みしまゆきこ

画　ふじしまたえ

行者　浅海久重

行所　ブーケガルニ舎

東京都杉並区月晴らしガ丘 3-17-8

そしてそれからずっと
いまでも月とマーニは自転車に乗って
毎日夜空を渡っています。

「大切なのは
君が、照らされていて
君が、照らしている
ということなんだよ。」

そしてこう続けました。

「そしたら夜に道を歩く人が迷っちゃうぢゃないか。」

「だって太陽をとったら君が いなくなっちゃうから。」

「だめだよ、太陽をとったら困っちゃうよ。」

「誰が？」

「僕だよ。」

「どうして？」

マーニはきっぱり言いました。

ある日 マーニが歌いながら自転車を走らせていると
やせ細った月が言うのです。
「ねえマーニ、太陽をとって。
一緒にお空にいると とってもまぶしくって。」

太陽を乗せた少女 ソルがやってくると

マーニは少しおやすみします。

少年マーニは 自転車のかごに月を乗せて
いつも東の空から 西の空へと走っていきます。

月とマーニ

月とマーニ

みしまゆきこ さく
ふじしまたえ ぇ